L'Esprit du
PORTO

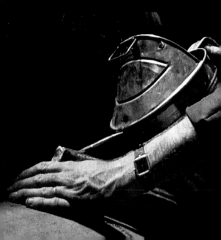

L'Esprit du
PORTO

par
Alain Leygnier

Photographies de
Jacques Guillard

HACHETTE

Sommaire

© 1998, Hachette Livre
(Hachette Pratique), Paris

Création graphique/PAO :
Marc Walter/Bela Vista

Cartographie :
Léonie Schlosser
et Madeleine Benoit-Guyod

LES CLÉS DU PORTO

Vu de France, le porto n'est pas un vin rouge sucré. C'est d'abord une étoffe de mots opaques et mystérieux. Des mots étrangers à notre expérience du vin. Un vocabulaire exotique forgé depuis le XVᵉ siècle par des négociants britanniques. *Blend, ruby, tawny, vintage, LBV...* Les mots portugais eux-mêmes accentuent encore l'impression d'altérité et d'étrangeté qui émane du porto : *beneficio, caseiro, colheita, quinta, lagar, rabelo...*

Il faut donc faire le voyage du Douro, vignoble âpre et isolé. Il faut visiter Porto et Gaia, villes jumelles bâties au bord de l'Atlantique, à l'embouchure du Douro, fleuve éponyme du vignoble. Un voyage accompli à deux, photographe et rédacteur. Les choses, vues et entendues, ressenties et savourées, donnent alors sens aux mots, qui aident ensuite à comprendre les choses. Entre autres, le porto.

Car la réalité de ce cru unique excède celle d'un simple vin doux. Résultat de quatre siècles d'histoire portugaise et européenne, le vin de liqueur du Douro transforme la nature et la société locale. Il détermine des paysages urbains et ruraux spécifiques. Il s'incarne aujourd'hui dans des hommes, des institutions, une économie. Il suscite des techniques de production et d'élevage. Il induit des rituels, des relations sociales, des modes de vie et de consommation.

Dans le Douro, 150 kilomètres à l'est de Porto, les routes escarpées mènent à des *quintas* (fermes, domaines, vignobles), naguère gérées par des *caseiros* (régisseurs). La vigne pousse sur des terrasses vertigineuses. Chaque année, la partie de la récolte qui a droit au *beneficio* (« bénéfice ») est mutée avec de l'eau-de-vie à 77 % vol. Les meilleurs vins sont élaborés dans des *lagares* (pressoirs), cuves de granite dans lesquelles les vendangeurs foulent les raisins, commandés par un *encarregado* (responsable).

À la fin de l'hiver, les vins prennent le chemin de Gaia, lieu des *logdes* (chais) du négoce. Jusqu'en 1965, les *pipas* (« pipes », fûts de 550 litres) descendaient le Douro à bord de *barcos rabelos* (voiliers à fond plat, sans quille). Depuis, la route et le chemin de fer ont triomphé de l'eau, mais on élève toujours les portos, la plupart du temps *blended* (assemblés), comme au siècle dernier.

Les chais de Gaia abritent des portos blancs, des *rubies* (vins de deux ou trois ans), des *vintage character* (assemblages non millésimés), des *tawnies* (« rousseâtres » en anglais, vins de trois à cinq ans élevés en foudre), des *tawnies* avec indication d'âge (assemblages de plusieurs millésimes, âgés de dix, vingt, trente ans...), des *colheitas* (« récolte » en portugais, *tawnies* millésimés). Dans les hauts bâtiments couverts de tuiles rousses, on élève aussi des *vintages* (« millésimes », portos d'une seule récolte, embouteillés deux ans après les vendanges), des *single quinta vintages* (*vintages* d'une seule *quinta*), des *late bottled vintages* (LBV, « *vintages* embouteillés tardivement », quatre à six ans après la récolte).

Le pont D. Luís I, construit par un élève d'Eiffel, mène à Porto, ville des *tripeiros* (« mangeurs de tripes », surnom des habitants depuis le XVe siècle). Haut lieu de l'architecture baroque, Porto regorge d'églises ornées de *talhas douradas* (bois dorés), de monuments de granite décorés d'*azulejos* (carreaux de céramique), telle la gare São Bento. On peut se perdre parmi les ruelles du vieux quartier, explorer les quais de Ribeira, visiter le musée Soares dos Reis, acheter un livre à la librairie Lello et Irmão, observer la pombaline (stèle de granite délimitant le vignoble) dressée dans le hall de l'Institut du vin de Porto, ou encore contempler la Factory House, lieu de rencontre du négoce anglais. On pourra se reposer en goûtant un *vintage* ou un *tawny* au Solar do Vinho do Porto (annexe de l'Institut du vin de Porto). Depuis le jardin, la vue donne sur l'estuaire du Douro. Et l'Atlantique ravive le souvenir des marins portugais partis à la découverte du monde....

Le Douro, du XIXᵉ siècle au troisième millénaire

raissait peu ou prou comme la source d'une matière première, le vin, qu'un négoce omnipotent élaborait puis exportait à l'étranger depuis ses chais de Vila Nova de Gaia.

LE DÉSENCLAVEMENT DU DOURO

Perdu à l'est de la haute Serra do Marão, le vignoble du Douro semblait loin de tout. Loin de Porto et de Gaia, villes jumelles édifiées dans l'estuaire du fleuve, au bord de l'Atlantique. Loin de tout, et infréquentable, aux yeux de la bourgeoisie locale. Glacial et boueux l'hiver, torride et poussiéreux l'été, habité par une population de paysans frustes. À mille lieues, en tout cas, des élégants clubs de Porto, des soupers fins et des bals de la Factory House, creuset relationnel et commercial d'un négoce anglais qui dominait alors la société *portuense*. On ne se risquait dans les quintas, les fermes du Douro, qu'au moment des vendanges, confiant la gestion annuelle des domaines à la main de fer d'un régisseur local, le *caseiro*. Le voyage s'effectuait au gré de routes improbables qui semblaient gravées dans le schiste pour l'éternité. Pourquoi, en effet, ouvrir à grands frais de larges voies de communication quand le fleuve suffisait à drainer le vin jusqu'à Gaia, dans des pipes (fûts de 550 litres) chargées à bord de voiliers à fond plat, les *barcos rabelos* ? Depuis, le rail et la route ont triomphé de l'eau. Mais il y a dix ans seulement, les automobilistes se rendaient des quais de Porto aux terrasses du Haut-Douro au prix d'un périple de trois à quatre heures sur des routes d'un autre âge, se frayant un passage entre les charrettes, les chiens, les ânes, redoutant par dessus tout de tomber en panne.

Aujourd'hui, tout change. En 1970, Salazar meurt. Quatre ans plus tard, la Révolution des Œillets rend possible l'actuelle démocratie

Aux environs de Pinhão, la quinta de Ventozelo.

Double page précédente : légués par les Arabes, les azulejos, carreaux de faïence peints, ont été l'une des formes d'art privilégiées au Portugal. Ici, ceux de la gare de Pinhão.

Page suivante : environs de Pinhão. Le vignoble cultivé couvre 40 000 hectares sur les rives du Douro et de ses affluents. Ici, des patamarès, *vignes établies sur des talus.*

Le Portugal décolle. Porto et Vila Nova de Gaia prospèrent. Le Douro bondit du XIXe siècle au troisième millénaire. L'histoire se précipite, pour les 275 000 habitants et les 362 villages de cette région grandiose qui épouse les boucles du Douro, à l'est de Porto, sur 120 km, jusqu'à la frontière espagnole. En 1986, l'adhésion du Portugal à l'Europe a enclenché un processus irréversible. Les subventions de l'Union européenne forcent la modernisation d'une région hier encore enclavée, tenue pendant des siècles dans une manière de sous-développement. Depuis l'invention du porto, le Douro appa-

*Environs de Sardanelo.
Des festons en fer forgé
ornent l'entrée de la
quinta do Cabo.*

*Ci-contre : le Douro,
vu de la quinta de Roriz.
Espace, lumière : le fleuve
venu d'Espagne traverse
une région à la beauté
paroxystique. Le regard
s'étend à l'infini sur les
maisons blanches, sur les
terrasses soutenues par des
murets de pierre sèche qui
suivent les courbes de
niveau.*

portugaise. L'heure est au développement économique. La population et les entreprises du
Douro ne vivent que de la vigne et du vin. Elles
doivent s'équiper, se moderniser, se hisser au
niveau des autres vignobles d'Europe. En 1996,
de janvier à octobre, 1,6 milliard d'escudos
(53,3 millions de francs ; un franc vaut trente
escudos) sont investis dans la région, dont
1,015 milliard de subventions (33,8 millions de
francs). Cette manne déclenche la mise en
route de projets de restructuration agricole :
alors qu'en 1995, 62 ont été lancés, on en
recense 227 en 1996, soit presque un quadru-
plement par rapport à l'année précédente.
Une autoroute relie désormais Porto à la
région. Une double voie rapide construite avec
des fonds européens, l'IP 3, la traversera bientôt du nord au sud. Et voici que le Douro suscite l'intérêt des investisseurs.

LE DOURO, NOUVELLE FRONTIÈRE DU NÉGOCE

Car le négoce évolue. Les maisons de Gaia
acquièrent des quintas, afin de mieux maîtri-
ser leur approvisionnement en raisin. Mais
aussi pour produire des portos de terroir
– single quinta vintages ou single quinta tawnies – qui s'ajouteront aux crus d'assemblage
élaborés depuis des siècles. Une logique de
vignerons se superpose à une logique de négociants. Des investisseurs étrangers, français surtout, s'intéressent au Douro, en producteurs.
Ainsi des Champagnes Vranken, qui ont créé,
en partie, un vignoble de 165 hectares, et de
Noval, racheté par Axa-Millésimes, qui,
comme Vranken, exporte ses portos du Douro
même. Quant à la maison champenoise

Roederer, nouvelle propriétaire de Ramos Pinto, elle développe la quinta da Ervamoira, où elle vient de créer un musée archéologique avec les vestiges découverts dans ce vignoble modèle du Douro Supérieur.

Le Douro s'active. Le Douro bouillonne. Dans les villes, les villages et les vignobles, les travaux se multiplient, parfois gigantesques. Montagnes tranchées, routes tracées, ponts hardis jetés sur le Douro ou l'un de ses affluents. Les bulldozers remanient les vignobles, améliorent les chemins d'accès aux quintas. Les viticulteurs plantent. Les maçons relèvent les murets de pierre séculaires emportés par l'érosion. Partout, des cuveries flambant neuves, des pompes à chaleur, des chais ultramodernes. Et aussi des quintas restaurées et modernisées qui, du printemps à l'automne, proposent le gîte et le couvert aux vacanciers qui commencent à s'aventurer dans la région.

Le tourisme pourrait bien devenir, un jour, l'autre ressource du Douro, pays admirable et authentique encore préservé des ravages de la

*Houe sur l'épaule,
ce viticulteur s'en va
désherber des vignes
toujours travaillées
à la main.*

*Ci-dessous : à proximité
d'Entre-os-Rios, aux
confins du Douro, un
paysage typique : palmiers,
église de granite, village
blanc.*

BAIXO CORGO
(Bas-Corgo ou Bas-Douro)

CIMA CORGO
(Haut-Corgo ou Haut-Douro)

DOURO SUPERIOR
(Douro Supérieur)

N

vers Bragança

Mirandela

vers Bragança

Frechas

Trindade

Cachão

Santa Comba
de Vilariça

Freixiel

Vila Flor

Junqueira

Vide

Mourão

Castedo

Horta da Vilariça

Vilarinho
da Castanheira

R. Sabor

Foz do Sabor

Torre de
Moncorvo

Rego
da Barca

54

Barr. do Pocinho

Pocinho

Peredo
dos Castelhanos

Vila Nova
de Foz Côa

Freixo
de Numão

Urgal

Parc archéologique
de Côa

Muxagata

62

Castelo
Melhor

Fonte
Longa

Chãs

Almendra

Tomadias

Longroiva

Escalhão

Mazouco

Quinta do Juncal

Freixo de Espada
à Cinta

Durão
727 m

Barr. de Saucelle

Barca
de Alva

ESPAGNE

Marialva

Figueira de
Castelo Rodrigo

Castelo Rodrigo

vers Guarda

vers Bragança

Légende

Voie de type autoroutier

Routes importantes

Voie ferrée

Barrage

Site ou ville touristique

Quintas

Quintas de la Route des vins de Porto

1 Casa da Timpeira
2 Casa da Quinta S. Martinho
3 Casa da Cumieira
4 Adega Cooperativa de
   S. Marta de Penaguião
5 Quinta do Paço
6 Quinta do Côtto
7 Enoteca do Granjão
8 Casa D'Além
9 Quinta da Estação
10 Quinta de S. Júlia de Loureiro
11 Quinta da Laranjeira
12 Quinta de Santa Maria
13 Quinta São Domingos
14 Quinta da Pacheca
15 Centro Vinícola da Sandeman
16 Casa dos Varais
17 Cais de Baixo Bar
18 Quinta da Casa Amarela
19 Villa Hostilina
20 Adega Cooperativa de Lamego
21 Enoteca Quinta da Vista Alegre
22 Caves da Raposeira
23 Quinta da Timpeira
24 Quinta de Marrocos
25 Quinta de Baldias
26 Casa da Quinta de Santa Eufémia
27 Quinta de Santa Eufémia
28 Quinta da Raposeira
29 Quinta dos Calços do Tanha
30 Quinta Seara D'Ordens
31 Adega do Rosca
32 Quinta da Água
33 Quinta do Crasto
34 Quinta S. Luis
35 Casa Museu Maurício Penha
36 Adega Cooperativa de Favaios
37 Quinta do Bucheiro
38 Quinta do Casal de Celeirós
39 Casa da Calçada
40 Casa de Santa Clara - Museu dos Lagares
41 Casa de Casal de Loivos
42 Artedouro
43 Quinta da Foz
44 Quinta de La Rosa
45 Quinta do Panascal
46 Quinta do Seixo
47 Casal dos Jordões
48 Adega Cooperativa Vale do Douro
49 Adega Cooperativa de Murça
50 Quinta do Castelinho
51 Vinhos Óscar Quevedo
52 Quinta do Cachão da Valeira
53 Quinta dos Canaes - Bartol
54 Quinta das Aveleiras

Autres quintas

55 Quinta Nova
56 Quinta do Infantado
57 Quinta das Carvalhas
58 Quinta São Pedra das Aguias
59 Quinta do Noval
60 Quinta da Bom Retiro
61 Quinta de Vargellas
62 Quinta da Ervamoira

*Ci-contre : le train du
Douro. Sur la rive droite
du fleuve, un voyage
à flanc de colline dans
un paysage grandiose.*

*Les olives de la région
donnent une huile
parfumée.*

Ainsi le Douro naît-il une seconde fois. Un monde s'ouvre dans lequel, il y a cinquante ans, des familles partageaient encore la paille des étables avec les animaux. Naguère contraints d'étudier et de chercher du travail à Porto, des enfants du pays reviennent aujourd'hui s'installer dans le Douro. Ils gèrent un domaine, vinifient les raisins ou dirigent la culture d'une quinta. À Vila Real, l'université de Tras-os-Montes forme désormais des œnologues, des ingénieurs agricoles, des agronomes. Et depuis qu'en 1986 le négoce a perdu le monopole de l'exportation du porto, des producteurs du Douro expédient directement des vins qui devaient jusqu'alors transiter par Vila Nova de Gaia. Une goutte d'eau, certes, encore à peine 2 % des exportations totales de porto. Mais, espère-t-on, un signe du renouveau de la région.

Cependant, la vie locale est loin de séduire tous les jeunes du Douro. Les enfants de viticulteurs perdent le goût des métiers du vin. Ils regimbent à l'idée de labourer, de tailler ou de vendanger la vigne, de fouler le raisin dans les lagares. Ils rêvent de discothèques, de voitures neuves, d'Internet, d'appartements en

mode et de l'appât du gain. Généreux, hospitaliers, curieux de l'étranger, toujours enclins à partager le tawny, la pastèque et le fromage de montagne à la table familiale, les *Durienses* accueillent le passant avec une nonchalance attentive et chaleureuse. À Pinhão, au cœur du vignoble, la firme Taylor vient d'édifier un hôtel de qualité, perle rare dans une région à peu près dépourvue d'infrastructures hôtelières. Le tourisme fluvial se développe. Partant de Porto et Gaia, des bateaux construits à l'imitation des *rabelos* remontent le fleuve, charriant leur cargaison de visiteurs vers les quintas. Une Route du vin de Porto, récemment dessinée, guide les voyageurs le long d'un spectaculaire et sublime itinéraire. Elle égrène à travers le Douro 54 quintas modestes ou luxueuses, appartenant à des coopératives, à des négociants, à des viticulteurs, qui accueillent, hébergent parfois, donnent à goûter toujours, leurs rubies et leurs tawnies.

ville, d'hypermarchés, de travail de bureau et de cinéma. Quand le niveau de vie des Portugais s'élève, ils souhaitent aussi des rémunérations supérieures à celles de leurs pères. Une revendication d'ailleurs jugée indécente par une poignée de négociants. Certains habitants du Douro mettent leurs pas dans ceux de leur père ou de leur grand-père. Ils émigrent en France, en Allemagne, où ils gagnent en une semaine ou en quinze jours le salaire mensuel d'un ouvrier viticole, généralement payé au SMIC portugais (59 000 escudos, 1966 francs). En saison, quelques-uns font le voyage de la vallée de la Garonne, pour cueillir les fraises, les pêches, les pommes... D'où une difficulté croissante pour recruter de la main-d'œuvre. Au moment des vendanges, les quintas embauchent des étudiants, des immigrés venus des pays de l'Est. Vivre dans le Douro est encore une idée neuve.

INFLUENCES DU NORD

Le développement économique transforme les comportements et les mentalités. Point encore de Mac Donald dans le Douro, mais, çà et là, des cigarettes de haschich grésillent dans la nuit. Dans les cafés-bazars-stations-service qui succèdent aux traditionnels débits de boissons, les jeunes remplacent le vin rouge de leurs ancêtres par la bière, le whisky et le pastis. Un pastis symbole de modernité et de réussite, popularisé par les émigrants qui reviennent au pays pour les vacances d'été. En juillet-août, ils marient leurs enfants et mènent grand train lors des fêtes organisées dans chaque village. Le Douro, alors, parle haut, davantage le français que le portugais. Ces émigrants suscitent des sentiments ambivalents chez leurs voisins restés au pays : admiration devant leur courage à s'exiler, loin de leur famille et de leurs proches ; irritation face à l'affichage d'une prospérité enviée, qui s'in-

carne, entre autres, dans des maisons bien spécifiques, que les Portugais baptisent « maisons de Françugais ». Le style composite de ces palais ostentatoires, marbre et grilles dorées, s'inspire de l'architecture des pays d'accueil. Çà et là, édifiés sur un site bien en vue qui marque aussi la réussite du propriétaire, une manière de maison du Val de Loire, une copie de demeure bavaroise, une réplique de pavillon de la banlieue parisienne défigurent d'admirables villages de granite.

La douceur du climat invite à sortir de chez soi. Assis sur un banc, les habitants du Douro commentent la vie qui va.

À la quinta do Roriz, la continuité de la vie rurale.

Quinta do Nova, près de Covas do Douro. Granite, murs blancs et tuiles rouges : la chapelle de Nossa Senhora do Carmo, construite en 1795.

Ci-dessous : une image traditionnelle du Douro.

Page suivante : quinta da Ervamoira, Douro Supérieur. Une contrée désolée, mais un vignoble moderne : les vignes, plantées dans le sens de la pente, rendent possible la mécanisation.

DES TRADITIONS BIEN ANCRÉES

La modernisation du Douro sape la tradition, qui pourtant résiste. Les femmes âgées s'habillent toujours en noir. Les adolescentes, en revanche, arborent T shirt et caleçons colorés. Mais, comme leurs mères, le port altier et la démarche souple, elles transportent leur fardeau sur le chef, panier de fruits, arbrisseau sec ou bonbonne de gaz. Si le Douro compte environ 30 % d'analphabètes, le téléphone portable commence à interrompre les conversations, dans les rares villages où la géographie cahotique de la région permet les liaisons.

Les *Durienses* adorent la vie de famille et la cuisine. Mais, au restaurant, c'est attablés devant un téléviseur diffusant un match de football ou des *novelas*, qu'ils savourent la morue accommodée selon l'une ou l'autre des trois cent soixante-cinq recettes portugaises. Les Portugais raffolent des *novelas*, ces feuilletons télévisés venus du Brésil, mis à la mode au milieu des années soixante-dix par *Gabriela*, un téléfilm adapté d'un texte de l'écrivain brésilien Jorge Amado. Dans le Douro, l'omnipré-

sent tube cathodique nappe d'un bleu froid l'intérieur des maisons, des cafés, des magasins. La télévision est la troisième religion des Portugais, après le football. Dans le Douro, elle constitue l'unique moyen de culture et d'information, quand il faut parcourir des dizaines de kilomètres de routes sinueuses pour se rendre au seul cinéma de la région, à Vila Real. Mais maintenant comme jadis, les prêtres continuent à donner aux fidèles les informations importantes du vignoble, date des vendanges, réunions ou élections, à l'issue de la messe dominicale.

Le catholicisme imprègne largement la vie locale. Si la pratique, encore massive, tend à diminuer, l'esprit religieux donne sens à de nombreux actes de la vie quotidienne. Cette ferveur se teinte parfois de superstition. Deux anecdotes en témoignent. Il y a deux chapelles dans la quinta Nova, à côté de Pinhão, récemment acquise par la maison Burmester. En 1993, on déplace la statue de Nossa Senhora do Carmo de la chapelle du haut dans celle du bas. Les catastrophes s'abattent subitement sur la quinta. Une voiture tombe dans les terrasses, le temps est détestable, les vins abominables, etc.

La statue réintègre au plus vite sa chapelle d'origine. En 1836, au cours d'une émeute anti-religieuse, les habitants de Távora incendient le monastère voisin, São Pedro das Aguias, actuelle propriété de Vranken. Ils emportent avec eux la statue de saint Pierre. La terre tremble. L'église menace de s'écrouler. Tout se calme lorsque les émeutiers replacent le saint dans sa niche. Aujourd'hui, certains expliquent encore ainsi l'origine de la fente qui parcourt de bas en haut la façade de l'église.

Le Bas-Douro,
ondulant et fertile

*Double page précédente :
Vale de Figueira. Installée
au bord du fleuve, parmi
les collines, les murets et la
rocaille, la quinta de
Vargellas. Calme et beauté.*

*Accroché au flanc d'une
colline, le village de
Fontelo, aux environs
d'Armamar.*

*Ci-dessous : le Douro en
automne. Une ravissante
palette de gris bleutés,
de jaunes et de roux.*

Pour apprécier l'irrésistible évolution du Douro, il faut quitter Porto. L'autoroute traverse la Serra do Marão, qui interpose ses 1 400 mètres entre l'embouchure du Douro et le vignoble, protégeant ainsi ce dernier de l'humidité atlantique. À une soixantaine de kilomètres à l'est de Porto, à Amarante, la N 101 mène à Peso da Régua, centre administratif du Douro. La route sine. Dans les tournants se dressent des étals de fortune, sur lesquels les paysans proposent des amandes, des pommes, des choux, des carottes, des bonbonnes de vin. Les vignes conduites en espaliers produisent du vin de table et non du porto.

Les villages sont blancs et gris, les toits roses. Sur les places, comme dans tout le Portugal, se dressent des gibets, depuis le XIIIe siècle. Des joueurs de cartes tapent le carton devant leur porte, sur des tables installées à même le trottoir. La douceur du climat invite à sortir de chez soi. Les vieux se réunissent dans les cafés traditionnels, minuscules boutiques où ils commandent le vin rouge du Douro ou un excellent express confectionné avec le café du

Mozambique. Ils les boiront à l'extérieur, assis sur un banc ou un muret, en refaisant le monde. Au beau milieu des rues et des routes dorment des chiens noirs, jaunes, marron, qu'évitent sans zèle excessif les tracteurs et les camions. Parfois, une carriole tractée par un âne bloque les ruelles étroites des villages.

On aborde ainsi le Bas-Douro (Baixo Corgo, du nom d'un affluent de la rive droite du Douro), première des trois sous-régions qui composent le vignoble producteur du porto. Un pays fertile, encore humide, d'altitude modérée, soumis à l'influence de l'Atlantique. Mer calme, flot ondulant et tranquille, le Bas-Douro annonce les déferlantes du Haut-Douro (Cima Corgo) et la puissante houle du Douro Supérieur (Douro Superior). Des cyprès épousent la silhouette des douces collines verdoyantes. Des oliviers s'élèvent au milieu des vignes. Partout des figuiers, des pins parasols, des orangers, des cultures céréalières. Des villages aux maisons de granite. Des potagers où triomphe le chou, ingrédient principal, avec la pomme de terre, du *caldo verde*, délicieuse soupe assortie de deux rondelles de saucisse, dont raffolent les Portugais. Dans cette région au sol pauvre en schiste, roche qui fait les grands portos, les vins sont convenables, sans plus. Proche de Porto, la région du Bas-Douro a constitué la première zone d'approvisionnement du négoce.

PESO DA RÉGUA, CARREFOUR DU BAS-DOURO

Voici Peso da Régua, au bord du Douro, gros bourg blotti contre une colline. En arrière-fond, vers l'est, se dresse le gigantesque et nouveau pont de Régua. Cet ouvrage d'art vertigineux, à l'esthétique controversée, par lequel l'IP 3 franchit la vallée du Douro, surmonte le pont routier et le pont ferroviaire. Au centre ville, sur les vastes murs obliques qui bordent le fleuve, s'étalent d'énormes lettres peintes en blanc : « Je t'aime Patricia », « Je t'adore Christina ». Ces déclarations d'amour publiques réchauffent quelque peu l'austère centre administratif du vignoble, édifié au XIXe siècle, dont la gare constitue le seul but de visite. Après les vendanges, les viticulteurs entreposent entre ses hauts murs les milliers de barriques qui prendront le train pour Vila Nova de Gaia. Peso da Régua est le siège de la Casa do Douro, puissante association des 34 000 viticulteurs du Douro, établie sur la rive droite du fleuve, dans un bâtiment d'architecture néo-stalinienne au rez-de-chaussée couvert de marbre noir. La délégation régionale de l'Institut du vin de Porto (IVP) habite juste à côté, dans l'immeuble qui abrite aussi le service chargé de la Route du vin de Porto. Régua souffre en permanence d'une circulation effarante : camions antiques, voitures bricolées, cyclomoteurs pétaradants, bicyclettes dont les chromes luisent au soleil, triporteurs motorisés véhiculant sur leur plate-forme avant choux, enfants, chiens, bonbonnes de vin ou motoculteur...

Parada do Bisbo, près de Peso da Régua. Vignes ponctuées d'oliviers et de pins, camaïeu de verts, de gris et de bruns : toute l'harmonie du Douro.

PÈLERINAGE À LAMEGO

Le Bas-Douro a sa ville religieuse. À la sortie de Régua, la N 2 traverse les vignobles, conduisant à Lamego, vieille cité épiscopale située dans le sud de la région. Le donjon du Castelo (XIIᵉ siècle) est géré par les Scouts du Portugal qui ont épinglé une centaine de foulards multicolores aux murs intérieurs. Le sommet de la tour, auquel on accède par une échelle, offre un joli panorama sur la vieille ville, la cathédrale, la basilique de Nossa Senhora dos Remédios, les collines boisées, les vignes et les champs de maïs.

Le musée occupe l'ancien palais épiscopal, qui abrite une bibliothèque riche de huit mille volumes. Dans les salles d'exposition, on peut admirer de remarquables azulejos des XVIᵉ et XVIIIᵉ siècles, des œuvres de peintres primitifs portugais, des tapisseries bruxelloises, des chapelles baroques. Les calvaires gothiques, les peintures de la chapelle São João Baptista, les œuvres religieuses du peintre Vasco Fernandès sont particulièrement dignes d'intérêt.

Haut lieu de la ville, le sanctuaire de Nossa Senhora dos Remédios, église baroque édifiée au XVIIIᵉ siècle, domine la cité. Chaque première décade de septembre, un pèlerinage se déroule sur le gigantesque escalier baroque, flanqué de rampes croisées, scandé de chapelles et de paliers décorés d'azulejos, qui dévale la pente depuis la basilique crépie de blanc. Pendant deux jours pleins, 400 000 per-

sonnes dorment, se débarbouillent, cuisinent, mangent et prient dans les rues et le parc attenant au sanctuaire où les pèlerins font pénitence depuis des siècles. Sous Salazar, pendant les guerres coloniales, de jeunes appelés escaladaient à genoux les six cents marches qui mènent à l'église, espérant que leur contrition et leur souffrance leur épargneraient de combattre en Angola ou au Mozambique.

En ville, à l'heure du déjeuner, les habitants de Lamego se pressent dans les ruelles pavées vers les *churrascarias* odorantes. À côté des traditionnelles tripes aux haricots blancs, ces restaurants préparent des plats dont les recettes ont été rapportées par les rapatriés des anciennes colonies : des grillades de poulets fendus en deux, des travers de porc frémissants sur la braise, que l'on savoure avec des sauces piquantes. Comme souvent dans le Douro, nombre de restaurants comportent deux salles, l'une consacrée à la cuisine portugaise traditionnelle, l'autre aux *churrascarias*. Les pâtissiers confectionnent de délicieux petits pâtés à la morue, au jambon, à la sardine, que l'on dévore sur le pouce avec un verre d'eau minérale ou un jus de fruits. Le marché de Lamego, installé dans un vaste bâtiment de béton, regorge de fruits et de légumes ; sa poissonnerie exhibe des centaines de morues séchées.

Ci-dessus : La cathédrale de Lamego a été fondée au XIIᵉ siècle par le premier roi du Portugal, Afonso Henriquès.

Ci-dessous : l'ancien palais épiscopal de Lamego est devenu l'un des plus beaux musées du Portugal.

Page précédente : Lamego, Bas-Douro. Le sanctuaire de Nossa Senhora dos Remédios date du XVIIIᵉ siècle. En septembre, des milliers de pèlerins gravissent les quelque six cents marches du gigantesque escalier baroque qui mène à la basilique.

José Vanzeller Serpa Pimentel est à la tête de la quinta de Pacheca.

Ci-dessous : en contrebas de terrasses ondoyantes, les quintas das Sopas et Boa Vista.

Page suivante : blanche et grise, l'église de Santa Marta de Penaguião.

SUR LES ROUTES DU BAS-DOURO

La quinta da Pacheca est située à quelques kilomètres au nord de Lamego (N 226), à Cambres. De haute taille, accueillant, sorte de Philippe Noiret ou d'Orson Welles, José Vanzeller Serpa Pimentel dirige cette propriété familiale de 36 hectares qui produit du porto, du vin de table, et vend en vrac au négoce. Trois harmonieux bâtiments de pierre délimitent la cour couverte de gravier crissant. Tuiles roses, murs blancs soulignant la pierre grise des encadrements de fenêtres, la maison d'habitation croule sous la glycine, la vigne vierge et les volubilis. Les chais contiennent huit imposants lagares, basses et vastes cuves de granite où les *Durienses* foulent et vinifient le raisin depuis toujours. Des lagares dans lesquels José Vanzeller Serpa Pimentel élabore tous ses vins, même les blancs. Une rareté. Les viticulteurs d'aujourd'hui utilisent plutôt des cuves en acier. Et, désormais davantage vendeurs de raisin que de vin au négoce, ils détruisent des lagares ; certains transforment les chais en garage.

Les portos de Pacheca mûrissent sur place, en tonneau, comme la plupart des vins confectionnés par les viticulteurs qui embouteillent leur production. Soumis aux importantes variations thermiques qui affectent la région, chaude et sèche l'été, froide l'hiver, ils évoluent différemment des crus élevés dans les chais humides et presque isothermes du négoce, à Gaia. D'où un style, une manière de typicité des portos élevés dans le Douro, plus évolués, plus contrastés que leurs homologues de l'estuaire du Douro, riches d'arômes de fruits secs et d'épices.

À la sortie de Pacheca s'offrent deux possibilités : la N 226, sur la rive gauche du Douro, mène au mirador de Boa Vista (500 mètres d'altitude) qui ménage une vue bouleversante sur les méandres du fleuve, les vignes en espaliers, les quintas plombées de soleil. En sens inverse, au sud-est de Lamego, la même voie sillonne les vallons, jusqu'à trois célèbres monastères cisterciens ou bénédictins : São João de Tarouca (à droite après Mondim da Beira), fondé au XIIe siècle, dont seuls subsistent le dortoir, deux chapelles, ainsi que l'église, ornée d'azulejos et de peintures du XVIe siècle, et qui renferme un sarcophage en granite ; à Salzedas (route de Cimbres, à gauche de la N 226), l'église romane Santa Maria, à la vaste terrasse donnant sur le monastère et le village, qui abrite un retable Renaissance et deux azulejos représentant la

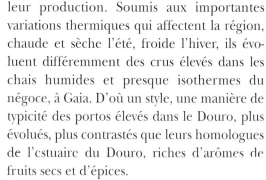

Fuite en Égypte ; à Moimenta da Beira, l'église du couvent de bénédictines, Nossa Senhora da Purificação, ornée d'azulejos multicolores du XVIIe siècle et d'un très beau retable en bois doré. Sur la route de Moimenta da Beira par la N 226 à l'est, on peut admirer à Ucanha l'un des derniers ponts fortifiés du Portugal, trois arches, deux piles et deux tours carrées jetées sur le rio Barosa.

Le Haut-Douro :

terrasses vertigineuses

et grands portos

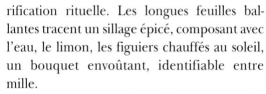

Environs de Pinhão.
Dans une lumière rasante,
une ligne d'oliviers rejoint
la courbe sensuelle des
patamarès.

Le Haut-Douro est le royaume du schiste, sol pauvre dont le feuilleté vertical absorbe une pluie qu'il conserve en ses profondeurs, préservant ainsi la vigne de la sécheresse. Quelques grands portos naissent ici, sur une quarantaine de kilomètres. Cette région à la beauté paroxystique commence à l'est de Peso da Régua. Sur la rive gauche, en remontant le fleuve, la N 222 passe sous le pont géant de l'IP 3. Peu de routes s'identifient comme celle-ci à une odeur. Le long du fleuve, des eucalyptus bleus accompagnent le voyageur jusqu'aux environs de Pinhão, une vingtaine de kilomètres en amont. S'alignent une théorie de hauts troncs luisants, argent et bruns, squameux, comme incisés par une sca-

rification rituelle. Les longues feuilles ballantes tracent un sillage épicé, composant avec l'eau, le limon, les figuiers chauffés au soleil, un bouquet envoûtant, identifiable entre mille.

Ailleurs, au creux des collines, parmi les vignobles caillouteux, le Haut-Douro foisonne d'odeurs exacerbées : pierre surchauffée, pin, garrigue, *esteva*, plante locale aux notes de tabac et d'huile de cade. Dans les jardins, les feuilles de tomate et le basilic parfument les mains des femmes. Lors des vendanges, la vive odeur du raisin blanc en fermentation tranche avec l'arôme fruité du raisin rouge, et plus encore avec le parfum brûlant de l'eau-de-vie de mutage.

Le Douro s'écoule doucement, large et placide autoroute liquide, dompté par les neuf barrages qui tempèrent les ardeurs d'un climat alliant les influences océaniques et méditerranéennes, glacial l'hiver, torride l'été. Si chaud, dit-on, que l'on peut faire griller des sardines sur les rails du chemin de fer. Le fleuve porte des péniches, des voiliers, des bateaux de promenade qui remontent ou descendent son cours. Des skieurs nautiques creusent des sillons d'écume dans l'eau noire. Le moulinet des pêcheurs cliquète comme un ruban de carton dans la roue d'une bicyclette. Un âne broute l'herbe d'un talus. Les petits restaurants installés sur les berges servent d'exquises et simples fritures.

LES TERRASSES DU HAUT-DOURO

Rien que des terrasses, dans le vignoble du Haut-Douro. À perte de vue, des milliers de kilomètres de murets de pierre sèche séculaires soulignent les courbes de niveau. L'implantation des vignes a varié au fil des temps. Elle a suivi l'évolution des techniques viticoles.

Jusqu'au XXe siècle, les viticulteurs édifient des terrasses étroites à murets, porteuses d'un ou deux rangs de vigne. Hormis son caractère esthétique, ce dispositif présente tous les inconvénients : coûteuse reconstruction des murets effondrés (environ 75 000 escudos le mètre carré), mécanisation impossible, érosion, et, en cas de plantation binaire, qualité inférieure des raisins du rang intérieur, davantage soumis à l'humidité que son voisin.

Les terrasses « traditionnelles » apparaissent vers 1920. En démolissant quelques murets, on obtient des plages quatre à cinq fois plus larges, toujours confortées par une maçonnerie. Le travail devient plus facile, et la densité des plantations peut s'accroître. Demeurent plusieurs inconvénients : travail toujours manuel, érosion, entretien des murets.

Étape suivante dans la modernisation du vignoble, les *patamarès* empruntent aux techniques suisses. Les murs disparaissent. Les vignes s'alignent sur deux ou trois rangs au bas de talus obliques. Ce système permet un début de mécanisation, à l'aide de petits tracteurs à chenilles qui circulent entre les rangs, effectuant les façons. Il n'est pas sans défauts : 40 % de surface perdue en raison des talus, désherbage difficile, maturité différente des rangs selon la pluviosité de l'année.

Les plantations « verticales » surgissent au début de la décennie 90. Établies dans le sens de la pente, elles rompent avec les courbes de niveau. Inapplicable dans les pentes trop raides, cette technique suppose, sauf dans le cas de vignobles nouveaux, la destruction des murets, véritable monument historique pour la conservation duquel on accorde des subventions. En revanche, elle offre tous les avantages économiques : densité plus importante des plants – au moins 4 500 pieds par hectare contre 2 000 à 3 000 avec les autres types de plantation –, mécanisation intégrale désormais possible entraînant une importante réduction des coûts. Technique d'avenir, les plantations verticales sont spécialement bien adaptées aux collines rondes du Douro Supérieur. Dans cette région proche de l'Espagne, l'absence de terrasses permet des coûts d'entretien inférieurs d'environ 30 % à ceux du Haut-Douro.

Abandonnées à la suite des ravages du phylloxéra, ces terrasses à murets sont aujourd'hui colonisées par les oliviers.

Les premières terrasses du Haut-Douro s'élè-vent sur les deux rives du fleuve dans un jaillis-sement de collines convulsives. Escaliers dantesques, murets de pierre sèche plantés de deux ou trois rangs de vigne épousent les courbes de niveau à perte de vue. L'altitude des vignobles s'accroît peu à peu. La chaleur s'accentue. La verdure se raréfie. Les routes et les chemins pierreux frôlent d'inquiétants pré-cipices. Les quintas chaulées luisent sous le soleil, flanquées d'immenses cuves immacu-lées, les « lollobrigidas », seins géants aux tétons dressés vers le ciel. La lumière impla-cable écrase les gens, les animaux, les maisons. Les reliefs se creusent. Rarement de plein azur, le ciel du Douro vit de nuages fibreux, ronds, élancés, cotonneux, évanescents ou opaques, dont l'ombre portée, capricieuse, anamor-phose, déforme les villages, les collines et les vignes. L'été, quand le soleil matinal rosit à contre-jour le sommet des collines bleues, les hommes passent un chandail pour se rendre dans les vignes. Midi est chaud, l'après-midi caniculaire, et douce la soirée étoilée pendant laquelle les *Duruenses* installent une chaise devant leur porte et discutent.

LA QUINTA DO PANASCAL ET SES TERRASSES

La quinta do Panascal est nichée sur les hau-teurs de la vallée du Távora. Environ 20 kilo-mètres en amont de Régua, le long de la N 222, juste après la route qui mène à Tabuaço, un vaste panneau indique cette belle propriété de la maison Fonseca, filiale de Taylor. Le méchant chemin de terre caillouteuse longe d'abord le Távora, affluent du Douro au bord duquel, le dimanche, des familles pêchent, pique-niquent et font la sieste, puis grimpe en virages escarpés jusqu'à la quinta. De vastes bâtiments blancs au toit rouge bordent le ravin. Au rez-de-chaussée, les chais et les lagares où tous les vins sont élaborés. Au des-sus, le logement du personnel, les bureaux, le caveau où les visiteurs goûtent la production-maison (200 escudos s'ils n'achètent pas).

Panascal est un résumé de la viticulture du Douro. Les quatre types de plantations coexistent dans ce vignoble de 43 hectares soigné comme un jardin à la française. Les séculaires murets de pierre sèche, travaillés à la main, coûteux à entretenir, portent un ou deux rangs de vigne. Les terrasses traditionnelles, quatre à dix fois plus larges que les autres, toujours soutenues par un mur, sont également cultivées manuellement. On y voit encore les *patamarès*, vignes sans murs, plantées en deux ou trois rangs sur des talus, partiellement mécanisables ; enfin, les vignes dites « verticales », dans le sens de la pente, qui rompent avec l'implantation selon les courbes de niveau.

Antonio Magalés, le chef de culture des domaines Fonseca, expose aux visiteurs les rudiments de la viticulture locale, très spécifique. Il montre l'érosion différentielle des rangs intérieur et extérieur des *patamarès* selon l'année, sèche ou pluvieuse, et son influence sur la maturation des raisins. Il précise les avantages et inconvénients de chaque type de plantation. Il souligne l'avenir des cultures dans le sens de la pente, mécanisables grâce au treuil et au tracteur à chenilles. Il explique que le débourrement de la vigne est fonction de l'altitude, précoce à 140 mètres, tardif à 360 mètres. Après la visite des lagares, on peut goûter les portos de Fonseca : un BIN 27, grand classique de Fonseca, un vintage character de cinq ans au nez de fruits noirs, rond et charnu ; un admirable vintage 84, encore fermé, d'une concentration et d'une rondeur splendides.

SÃO PEDRO DAS AGUIAS ET SES LÉGENDES

Retour à la N 323, qui conduit à la quinta São Pedro das Aguias. Un trajet d'une dizaine de kilomètres le long d'une route en lacets abrupts. La voie monte, sinue, surplombe le

Távora, offrant un séduisant point de vue sur la vallée. Après le pittoresque village de Tabuaço, une route bordée de pins conduit à São Pedro, propriété des Champagnes Vranken. L'ancien monastère cistercien, orné de lauriers-roses et de magnolias, dresse ses bâtiments de pierre grise au milieu de 36 hectares de terrasses pentues. L'église romane, dont une paroi intérieure recèle encore un squelette, sans doute celui d'un moine, sert aujourd'hui de chai d'élevage. Trois cent soixante-quatre fûts bordelais, acquis au château La Lagune, dans le Médoc, s'élèvent sur trois rangs entre les hauts murs noircis par les siècles. António Saraiva, œnologue formé à Bordeaux, directeur du domaine, préfère aux traditionnelles pipes de 550 litres ces tonneaux de 225 litres dont il attend un mûrissement plus affiné.

Fontaine, buis, voûtes de pierre : le cloître de l'ancien couvent de São Pedro das Aguias est un havre de quiétude.

Réduit par l'histoire à de piteuses ruines, le monastère est en pleine rénovation. Le cloître, ravissant, est un havre de quiétude, avec sa fontaine et ses buis qui parfument les voûtes de pierre. Le corps du bâtiment restauré abrite des bureaux, des chambres d'hôtes, une ligne d'embouteillage. En dessous, une cave recèle un foudre d'un fabuleux tawny 1937, arachnéenne et suave gourmandise aux arômes de fruits secs, de fruits rouges confits et d'épices.

Pinhão. Au cœur du vignoble, édifié dans un site admirable, ce gros bourg viticole commande l'accès aux quintas de la vallée du Pinhão et de la rive droite du Douro.

Deux légendes courent à São Pedro. Pendant l'occupation arabe, une princesse maure, amoureuse d'un homme que son père lui refuse, se réfugie au monastère. Le père accourt, décapite sa fille. Depuis, dit-on, le fantôme de la belle Ardinga hante São Pedro. La quasi-totalité des ouvriers actuels de la quinta affirment l'avoir vu. En 1836 une révolte anti-religieuse balaie le Portugal. Les moines de São Pedro sont massacrés. La mousse rose qui pousse sur les dalles et les murs du monastère serait leur sang qui ne veut pas sécher. On se refuse à la faire analyser, pour préserver la légende et sa poésie.

MANUEL SILVA REIS DANS SES TERRES

Toujours rive gauche, la quinta das Carvalhas se situe à l'entrée de Pinhão (N 222) juste avant le pont de fer qui enjambe le Douro. Un gardien soupçonneux filtre les visiteurs derrière le portail de fer forgé. Un kilomètre de route bordée d'orangers longe le fleuve, menant à l'ancien relais de chasse transformé en maison d'habitation. De remarquables azulejos ornent une jolie chapelle baroque. Une longue salle de réception aux larges baies donnant sur le Douro exhibe des trophées de chasse. Une énorme piscine possède des dimensions quasi olympiques. Ce domaine de 600 hectares de terrasses qui escaladent en spirale la haute colline appartient avec sept autres à la Real Companhia Velha. Avec 1 500 hectares dans le Haut-Douro, ce groupe constitue le troisième exportateur de Porto.

La Real Companhia Velha est l'héritière du monopole créé en 1756 par le marquis de Pombal, qui dirigeait alors la politique du Portugal, pour diminuer la puissance du négoce anglais. Cette institution devait longtemps contrôler le commerce des vins du Douro destinés à l'exportation. Elle perdit définitivement ses privilèges en 1865. Elle appartient aujourd'hui à Manuel Silva Reis, un négociant secret et controversé. Exproprié en 1974 pendant la Révolution des Œillets, il recouvre sa propriété quatre ans plus tard, mais ne semble aujourd'hui toujours pas remis de sa mésaventure. Partout, Manuel Silva Reis se fait obéir. À la quinta do Sidro, à São João da Pesqueira, ses hôtes contemplent vingt et une chambres et vingt et une salles de bain de marbre, les salons de réception, les coffres-forts, les cuisines, la cour intérieure ornée de deux camélias. Au cours de ces visites domaniales, Manuel Silva Reis emporte trois sacs, chacun rempli des multiples clés qui commandent l'accès à ses propriétés.

Au sommet de Carvalhas, à 500 mètres d'altitude, Manuel Silva Reis a édifié dans les années soixante un nid d'aigle. Une grandiose rotonde de schiste. Trois étages, neuf chambres et salles de bain, des salons, une bibliothèque, une salle de restaurant capable d'accueillir 700 convives, une cave circulaire emplie de milliers de bouteilles. À côté de la maison, une antenne de télévision de 17 mètres de haut, pointée vers le ciel, relaie les programmes vers Pinhão. Sur la terrasse, quatre canons de la guerre de 1914 peints en noir, orientés vers le fleuve, deux projecteurs antiaériens, et douze vastes tables en inox à l'usage des réceptions de Manuel Silva Reis. Ce mirador où l'on pourrait tenir un siège offre l'un des plus beaux panoramas du Douro, embrassant les vallées du Torto, du Douro, du Pinhão, jusqu'à la quinta do Noval. Descendre vers Pinhão prend une dizaine de minutes.

PINHÃO, LA PLUS BELLE GARE DU DOURO

Voici Pinhão, cœur du vignoble, gros bourg viticole alangui le long du Douro, la rue centrale où sont concentrés les magasins. Au bord du fleuve, un petit port, une promenade plantée de tilleuls et de peupliers qui bruissent dans le vent, un restaurant, une terrasse ombreuse. Une oliveraie s'élève en pente raide derrière la ville. Pinhão est l'une des premières communes du Portugal à avoir été

électrifiée, en 1924. En 1940, récompense d'un concours national gagné trois ans plus tôt, elle est équipée du tout-à-l'égout. L'objet de cette compétition ? La décoration des gares de chemin de fer, entre autres par les azulejos, carreaux de faïence qui signalent le Portugal aussi sûrement que les colombages, l'Alsace. La gare de Pinhão a été jugée la plus belle du pays. Magnifiques, les azulejos décorent toujours le mur extérieur et les quais du bâtiment de granite. Ils représentent des vignobles du Douro et des scènes de vendanges.

De cette gare, on peut se rendre à Porto. Deux heures d'un voyage enchanteur, sur la rive droite du Douro, découvrant, comme dans un film, un superbe paysage de vignobles, de collines, de jardins, de maisons entourées de palmiers ou de bananiers. Une profusion de figuiers, d'eucalyptus, de pins parasols. Des « terrasses mortes », désertées par la vigne depuis les ravages du phylloxéra, colonisées par les cèdres, les orangers, les cyprès, les mimosas. Succédant au charbonneux petit train originel, une motrice fonctionnant au

Les superbes azulejos bleus et jaunes de la gare de Pinhão représentent les travaux et les jours du vignoble.

gazole tracte des wagons en aluminium. Femmes en noir, hommes en chandail et casquette, les voyageurs s'embarquent avec valises, sacs, poules et casse-croûte.

LA MISE EN BOUTEILLE À LA PROPRIÉTÉ, UNE EXCEPTION

———

Pour gagner la quinta do Infantado, on emprunte, rive droite, à Pinhão, la N 322-2 qui longe le fleuve. Elle offre d'abord un autre point de vue sur les quais et la ville, puis s'élève en volutes minérales dans l'air brûlant. À droite, la montagne coupée de *patamarès* et de murets. À gauche, un précipice en pente folle vers le fleuve. Le hameau de Covas do Douro apparaît dans une montée. João Roseira exploite la quinta familiale, 45 hectares, dont les chais sont en pleine rénovation. Étonnante histoire que celle de ces viticulteurs. Au début de la décennie soixante-dix, au lieu de vins finis, les négociants de Gaia commencent à acheter des raisins, qu'ils transforment eux-mêmes dans leurs cuveries. De nombreux vignerons du Douro abandonnent la production de vins, à l'exception des Roseira et de quelques autres qui vinifient une

Quinta do Roriz. Une pause roborative.

Ci-dessous : utilisés depuis l'origine du vignoble, ces paniers tressés tendent à disparaître, remplacés par des cagettes en plastique.

Page suivante : placés à l'ombre des oliviers, des paniers emplis de raisins attendent d'être transportés à la quinta.

part de leur récolte, et vendent le reste au négoce, jusqu'en 1978. Cette année-là, le responsable de la quinta se fâche avec le courtier de Taylor, dernier client d'Infantado. Depuis 1979, fait rare dans le vignoble, la famille Roseira embouteille et vend elle-même la totalité de ses vins. Des portos vinifiés en lagares, dans un style demi-sec typique du Douro. De fins tawnies, des vintages non filtrés, des late bottled vintage savoureux, tel un 92 dense, au nez de fruits noirs et d'épices.

LES VENDANGES, FOLKLORE ET LABEUR

———

La quinta Nossa Senhora do Carmo, dite Nova, surgit quelques kilomètres plus loin, dans une courbe majestueuse qui frôle le Douro. Les drapeaux qui flottent au sommet des trois longs mâts indiquent la nationalité des invités de la maison Burmester. Bâtie en 1795, la gracieuse chapelle dédiée à Nossa Senhora do Carmo se dresse au milieu des lauriers-roses, des cyprès, des cèdres. Une piscine. Une vaste ferme cossue aux fenêtres étroites filtrant le soleil, parmi des bâtiments crépis de blanc qu'unissent des ruelles ombreuses où somnolent des chiens jaunes : l'ensemble évoque un minuscule village, avec sa vie sociale. D'appétissantes odeurs d'oignons frits, des conversations, des rires qui fusent d'une porte à l'autre. En face, les chais abritent les cuves de vinification et les lagares.

À Nova, les vendanges 97 commencent au début de septembre. Fin juin, « le peintre est

passé », selon la poétique expression locale qui désigne la véraison. Courbée entre les rangs de tinta roriz ou de touriga nacional, une troupe de quarante huit vendangeurs escalade les terrasses schisteuses de huit heures à treize heures et de quatorze heures à dix-sept heures trente. Les femmes cueillent les grappes pour 3 000 escudos la journée. Les hommes transportent le raisin (4 000 escudos) dans des cagettes en plastique de 20 kilogrammes jusqu'aux bennes que l'on transporte ensuite aux chais. Deux équipes composent ce groupe juvénile, chemises colorées, jeans, chapeaux de paille, casquettes américaines dont la visière regarde la nuque. La première vient de Donelo, village voisin. Elle dort chez elle. La seconde, recrutée aux alentours de Resende, à 70 kilomètres de là, utilise les dortoirs de la quinta. La troupe de Nova rassemble ainsi des vendangeurs locaux et des « étrangers ». Les premiers, dans leur fief, refusent de côtoyer les seconds parmi les vignes. Chaque équipe s'affaire donc dans un rang différent. Et malheur au porteur de Resende qui s'aventurerait à courtiser une cueilleuse de Donelo, ou vice versa...

Vers neuf heures trente, chaque équipe, assise sur son bout de muret, savoure le casse-croûte qu'une camionnette apporte au milieu des terrasses. Derrière une table pliante, la cuisinière distribue à chacun une boîte de sardines à l'huile, une soupe de légumes et de pâtes, des pommes de terre cuites à l'eau, des poivrons, une timbale de vin rouge. À treize

heures, les vendangeurs déjeunent d'une soupe, de morue frite avec du riz et des tomates, sous le soleil zénital. Le soir, à dix-neuf heures trente, tous les employés de la quinta, cinquante-huit personnes avec les vinificateurs, dînent au réfectoire sur quatre tables de bois flanquées de bancs. Chacun utilise son couteau personnel, mange rapidement les viandes et les légumes cuits au feu de bois, du pain – parfois confectionné dans le four de la quinta. Rapidement, car le travail des lagares, payé 2 500 escudos pour quatre heures de foulage, commence à vingt heures.

UNE SOIRÉE AU LAGAR : QUATRE HEURES D'UNE DANSE EXTÉNUANTE DANS LE MOÛT

Les deux vastes lagares de Nova encadrent un récipient plus petit, où l'on presse le moût. Dans la cuve de gauche, une vendange travaillée la veille glougloute lentement sous sa croûte de marc pourpre. À l'autre bout du chai, un entrelac de cuves en acier inoxydable, de cuves autovinifiantes, de passerelles et de tuyaux donne à l'endroit l'air d'une raffinerie de pétrole. La nuit est chaude. Attirées par l'odeur du raisin et par la lumière du chai, d'agressives drosophiles piquent les bras et les visages.

Départ pour les vendanges. Les vendangeurs emportent le sac de toile dont ils se couvriront la tête et la nuque pour se protéger du jus de raisin qui coule des paniers.

Ci-dessous : élégantes sculptures de bois, les paniers bruns tranchent sur le mur éclatant de lumière.

Page précédente : les vendanges à la quinta de Ventozelo. À l'arrière-plan, Pinhão.

*À la quinta do Crasto,
la danse épuisante des
lagares : quatre heures à
fouler les raisins, au terme
de huit heures de cueillette
dans les vignes.*

*Ci-dessous : quinta Boa
Vista ; la vendange arrive
au chai de vinification.*

Tongs, tennis et baskets s'alignent le long d'un mur. Avant d'entrer dans les lagares, les vendangeurs se rincent les jambes dans l'un des trois baquets d'eau disposés au pied des cuves. En short blanc et T-shirt à l'enseigne de Nova, douze jeunes filles et sept garçons pataugent jusqu'aux cuisses dans le lagar empli de raisin odorant. Ils se tiennent aux épaules, en deux rangées parallèles, l'une de neuf, l'autre de dix. La danse exténuante du foulage commence à vingt heures pile. Elle se poursuivra jusqu'à minuit, en deux phases d'environ deux heures chacune. Pendant la première partie, dite « militaire », l'*encarregado*, chef d'équipe, scande les ordres d'une voix forte qui résonne dans le chai. Chorégraphe exigeant, rigoureux, il dirige le pas des fouleurs : « gauche, droite, en avant, en arrière... ». Les jambes violacées s'élèvent et s'abaissent dans un bruit de succion, au rythme d'une marche pataude.

À vingt et une heures trente, le chef d'équipe annonce la fin de la première partie du foulage. La fatigue marque les visages. Les lignes humaines se brisent. Les fouleurs se tiennent par la main. Ils entament une ronde lente dans le moût en fermentation. Commence alors la période dite de « liberté » : chacun foule erratiquement à son gré dans la cuve. Les chants traditionnels du Douro s'élèvent

pendant que s'installe l'orchestre venu de la ville, non un groupe folklorique, comme d'ordinaire, seulement deux musiciens et leur matériel : une guitare électrique, un synthétiseur, une table de mixage, une boîte à rythmes, un accordéon, deux haut-parleurs. Cet ensemble minimaliste entame des marches, des tangos et des paso-dobles. Au bout de deux morceaux, le guitariste s'avise qu'il n'est pas accordé avec le synthétiseur. Vingt-deux heures trente : l'heure du casse-croûte, un sandwich à la saucisse, avalé tout en foulant. À minuit, le travail cesse. Les vendangeurs se reposent. Le moût aussi.

AU FIL DES QUINTAS DU HAUT-DOURO

Retour à Pinhão. Au nord, la N 322-3 conduit vers Alijó à travers la vallée du Pinhão. Quelques centaines de mètres plus loin, sur la droite, devant le cimetière de Casal de Loivos, un panorama d'une beauté rare s'offre à la vue. Sur l'autre rive du Douro, la haute colline de Carvalhas, que couronne la rotonde de Manuel Silva Reis. À gauche, le coude du fleuve, le pont routier, la gare et le quai de Pinhão. À l'horizon, l'infini des montagnes et des vignes.

Vale de Mendiz est à quelques kilomètres. À l'entrée du village, la maison Sandeman a installé son musée des Lagares dans la Casa de Santa Clara, un ancien centre de pressurage édifié à la fin du siècle dernier. La partie supé-

rieure expose des lagares ronds, d'environ cinq mètres de diamètre, uniques dans le Douro. Ils avaient été conçus par le créateur des lieux, Antonio Roberto Gouveia, homme excentrique et soucieux du bien-être des ven-dangeurs. Le coin des cuves rectangulaires ou carrées blesse, en effet, le pied des fouleurs. Les lagares ronds de l'inventeur suppriment à la fois les coins et les meurtrissures. Curieusement, Antonio Roberto Gouveia n'a pas fait école.

LA QUINTA, VIGNOBLE, FERME OU PALAIS

Analogue au château bordelais, la quinta (« ferme ») du Douro est à la fois un domaine viticole, un lieu de vinification et de résidence. L'acception du mot peut varier du tout au tout. Un vignoble équipé d'un modeste hangar pour ranger les outils et le matériel est une quinta, tout comme les luxueuses maisons de campagne du négoce. Théoriquement, il existe autant de quintas que de vignerons. Cependant, en l'absence de tout recensement officiel, on peut estimer leur nombre à environ 2 000, dont 58 appartiennent au négoce. Certaines sont encore dépourvues d'électricité et d'eau courante. D'autres apparaissent comme de véritables palais, agrémentés d'une piscine, de bassins, de jardins, dans lesquels les propriétaires reçoivent leurs visiteurs et leurs clients.

Traditionnellement, les bâtiments techniques des quintas épousent le sens de la pente. Les vignerons travaillent en utilisant la gravité naturelle. En haut : les chais de réception de la vendange, de vinification et les lagares. Plus bas : les chais d'élevage, où s'alignent les pipes et les foudres. La maison d'habitation s'élève à proximité, parfois au dessus du chai d'élevage, dans le prolongement du chai à lagares. Véritables villages, certaines quintas logeaient parfois une trentaine de viticulteurs.

Pendant des siècles, la gestion de la quinta a été entièrement aux mains du *caseiro* (« régisseur »). Les propriétaires ne venaient dans le Douro qu'une fois par an, au moment des vendanges. Le *caseiro* organisait et supervisait l'entretien des bâtiments et du matériel, le travail de la vigne, les vendanges, la vinification, l'élevage, la production des oliviers, des amandes et des agrumes... Livré à lui-même, seul à connaître véritablement les arcanes et la production réelle de la quinta, il se retirait en général fortune faite. Aujourd'hui, les négociants suivent en permanence le travail des quintas. Les livres d'or enregistrent désormais le passage de centaines de visiteurs chaque année, contre une petite dizaine au début du siècle. Les propriétaires confient la gestion du domaine à un directeur, le travail de la vigne à des ingénieurs agricoles, les vinifications aux œnologues. Rémunérés au mois ou à la tâche, les viticulteurs habitent les villages voisins. La quinta ne loge donc plus qu'une équipe réduite, dont le *caseiro* et son épouse, la *caseira*. Le premier est devenu un gardien. Son épouse s'occupe des tâches domestiques, notamment de la cuisine, responsabilité essentielle maintenant que les négociants font visiter la région. Il est des tables sommaires, il en est d'éblouissantes.

Quinta de Soalheira. Pendant des siècles, tout le personnel de la quinta était logé sur place. Aujourd'hui, seule la famille du caseiro *veille sur les lieux.*

NOVAL :
DES VINTAGES
MYTHIQUES

Un peu plus loin, par la même route, la quinta do Noval couronne une volée de gradins hérissés de ceps. La plus célèbre des quintas du Haut-Douro, acquisition d'Axa-Millésimes, domine la vallée du Pinhão. Au loin, les vignobles de Taylor, Warre, Fonseca. Devant la maison, une terrasse pavée de schiste, ornée de treilles, d'un cèdre bleu et de cyprès, offre une vue bouleversante sur le fleuve qui miroite au soleil. Colossale caisse de résonance, la montagne capte la vie de la vallée. Des sons nets comme un coup d'archet se détachent dans le silence. Des vignerons se hèlent d'une crête à l'autre, à trois cents mètres de distance. Les motos s'annon-

cent avant d'être vues. Le chant des coqs, le choc d'un marteau, le feulement d'une perceuse disent l'activité quotidienne des villages. L'été, pendant les fêtes, la sonorisation des orchestres propulse à des kilomètres des valses, des rocks et des slows, qui rebondissent sur le flanc des collines.

Noval couvre 145 hectares, dont 85 de vignes et une oliveraie. Chaque année, on doit rebâtir les 50 mètres carrés de murets qui s'écroulent. En 1996, 100 mètres carrés se sont effondrés. Coût de la reconstruction : 7,5 millions d'escudos (250 000 francs). Un chai ultramoderne, de construction récente, se dresse sur un plateau voisin. Ce bâtiment climatisé, l'un des rares du Douro, permet de lisser les importantes variations thermiques qui affectent le vignoble. On y élève le million de bouteilles que Noval produit tous les ans,

ans. Rare et chère. Une bouteille de Nacional 94 coûte environ 2 500 francs chez les cavistes. Mais, référence en matière de vintage, ce porto est fabuleusement bon. Le 96, goûté au tonneau, est impressionnant : robe violette, nez intense, complexe et fin de fruits noirs, d'eucalyptus, de cèdre, de violette, d'épices. Bouche d'une concentration inouïe, tanins denses, serrés, élégants, parfait équilibre entre le sucre et l'alcool, finale éblouissante, de très longue persistance.

On emprunte de nouveau la N 322-3, vers Alijó. En passant par Favaios, on peut acheter une boule de pain croustillant dans la boulangerie du village. On découvre la boutique, anonyme, tenue par trois femmes vêtues de noir, dans une ruelle discrète. Le fournil est équipé d'un antique four à bois calotté par la fumée. Des fagots. Un pétrin. Des moules. Le pain des trois boulangères, pur délice, fait accourir les habitants de Favaios.

Voici Alijó, bourgade tranquille à 660 mètres d'altitude, capitale du muscat : une coopérative viticole avec ses hautes cuves en acier inoxydable, de belles maisons de granite, des boutiques, un ancien gibet autour duquel se rangent les voitures ; et surtout, une *pousada*, demeure historique transformée en hôtel de luxe, équivalent du *parador* espagnol. Pour prendre un peu de repos.

Les bâtiments de la quinta do Noval composent un petit village typique et chaleureux.

achats de raisin compris, puis exporte directement du Douro, sans passer par Gaia.

Les vignes qui font la gloire de Noval s'étendent à côté du hameau blanc formé des chais et des maisons d'habitation. Cinq mille pieds plantés directement sans porte-greffe, 2,5 hectares qui résistent par miracle au phylloxéra. Un mystère que Christian Seely, le directeur, n'explique pas et dont il ne livrerait peut-être pas la clé, s'il la détenait. Bien entendu vinifiées à part, ces vignes donnent de grandioses vintages que les collectionneurs s'arrachent dans les ventes aux enchères, à Londres, tel le Nacional 1931 vendu pour la somme de 1 250 livres, record absolu pour un porto. Cette merveille est rare puisque le rendement n'atteint que 15 hectolitres à l'hectare, ce qui permet seulement de produire 2 400 à 3 000 bouteilles. Et elle n'est pas élaborée tous les

teur patenté, Adriano Ramos-Pinto y invitait ses conquêtes. Le chemin est cabossé, étroit. Des voitures garées dans les tournants signalent des hommes au travail dans les vignes. Dissimulée à l'ombre d'un olivier, une bouteille de vin rosé attend le vigneron prévoyant. Vaste et gracieux bâtiment blanc à colonnades, Bom Retiro apparaît au milieu d'un jardin d'agrément enchanteur, planté d'agrumes, de résineux, de lauriers-roses, d'essences aromatiques. La terrasse donne sur les collines avoisinantes, et sur la piscine, où, à l'abri d'une haie, les voyageuses se remettaient d'un voyage éprouvant. João Nicolau de Almeida, administrateur et vinificateur de Ramos-Pinto, vient aux vendanges surveiller les vinifications qui se déroulent dans une cuverie ultramoderne. Des cuves d'acier inoxydable sortent des merveilles, tel cet excellent tawny de vingt ans d'âge, suave, élégant, au nez de grillé, de rancio, de fruits secs, élaboré avec la récolte de Bom Retiro.

La N 222 conduit à São João da Pesqueira, étape sur le chemin de la quinta de Vargellas, située à Vale de Figueira. Les magnifiques azulejos qui décorent l'escalier intérieur de la mairie représentent des lagares, des *rabelos*, des scènes de vendanges. De la très jolie place centrale récemment restaurée partent d'étroites ruelles bordées de boutiques qui irriguent ce petit bourg de style baroque.

La quinta de Bom Retiro apparaît au milieu d'un jardin enchanteur. La terrasse donne sur une piscine où il fait bon se rafraîchir.

À droite : les affiches de Ramos-Pinto célèbrent le plaisir et la sensualité.

BOM RETIRO, QUINTA DE CHARME

De nouveau Pinhão, intermédiaire obligé. En route vers l'est, en direction de São João da Pesqueira, on aperçoit la quinta de Bom Retiro sur la droite de la N 222. Un amphithéâtre de vignes couronné d'un éventail de cyprès signale au loin ce domaine de 100 hectares. À Ervedosa do Douro, un panneau indique la direction de cette merveilleuse quinta, aujourd'hui propriété des Champagnes Roederer. Fondateur de la firme Ramos-Pinto, inventeur d'un porto à la quinine destiné au Brésil, l'Adriano, promoteur d'assez coquines affiches Art Nouveau, séduc-

Ci-contre : paysage du Haut-Douro. Généreux, le Douro réserve au promeneur des paysages envoûtants.

Page précédente : paysage du Haut-Douro. Palmiers et oliviers se dressent parmi les vignes fièrement alignées.

Ci-contre : la quinta de Vargellas, fleuron de la maison Taylor. De la terrasse, on peut admirer les collines et le vignoble.

Ci-dessous : Vargellas entretient soigneusement sa petite gare bordée d'eucalyptus d'où, naguère, tous les vins partaient pour Gaia.

LA QUINTA DE VARGELLAS, UN CONFORT *BRITISH*

La quinta de Vargellas est à quelques kilomètres ; on y accède par la N 222-3 qui conduit à Vale de Figueira. On peut aborder par le haut le fleuron de la maison Taylor, ce qui permet d'admirer ainsi 42 hectares de vignes plongeant vers le Douro. Remaniée, modernisée au fil des ans, la maison d'habitation s'élève au milieu des ceps, à côté d'une piscine. Donnant sur le fleuve, un avant-corps à colonnes surmonté d'un fronton confère à l'architecture une note coloniale désuète et charmante. À l'intérieur, des pièces chaleureuses, un silence ouaté, des meubles sombres, des canapés tendus de velours ou de tissu à fleurs, un confort « cosy », typiquement *british*.

Les chais de vinification sont construits en bas de la propriété, à quelques pas de la ligne de chemin de fer qui relie Vargellas à Pinhão puis à Porto. Concurrencés par les camions, les trains transportent aujourd'hui moins de vins que jadis. Taylor entretient cependant avec soin la petite gare qui dessert Vargellas, un bâtiment couvert de tuiles roses, décoré de céramiques, environné de cyprès et d'eucalyptus.

AU CACHÃO DA VALEIRA, DES FALAISES WAGNÉRIENNES

Passé les rails, un bateau à moteur attaché à un ponton de bois flotte derrière un rideau de cyprès. Nicolas Heath, directeur du marketing de Taylor, convie généralement ses invités à une promenade sur le fleuve. Vers l'aval, ils piquent en direction du Cachão da Valeira, site marqué par l'histoire à un double titre. Un énorme rocher obstruait le fleuve, interdisant la circulation des *rabelos* qui venaient de l'amont. L'obstacle a été détruit en 1791, au terme de gigantesques travaux, grâce auxquels le Douro est navigable dans sa totalité. Aujourd'hui, les falaises qui dominent le Douro ont une allure wagnérienne, imposantes, sombres, dramatiques. On s'attend à voir paraître à leur sommet une Lorelei lusitanienne. Un lieu dramatique, en effet, puisque à cet endroit s'est noyé, en 1862, le baron Joseph James Forrester, Anglais amoureux du porto et du Douro, passionné d'agronomie et de dessin. Au pied de la falaise, une plaque gravée de lettres dorées rappelle la tragédie. Depuis, lorsqu'un homme du porto passe ici, il lève son verre à la mémoire du baron. Quelques kilomètres plus loin, le barrage de Valeira coupe les eaux d'un trait de béton. Cet ouvrage d'art surmonté d'une route forme une réserve d'eau où l'on vient pratiquer le ski nautique. Il comporte une spectaculaire écluse haute d'une quarantaine de mètres, que les promeneurs viennent voir fonctionner le dimanche.

Membre d'une célèbre famille de négociants, le baron de Forrester, l'un des rares Anglais du XIX siècle à parler le portugais, s'est noyé en 1862 au Cachão da Valeira (ci-contre) dont les sombres falaises semblent garder la mémoire de ce tragique événement.

Le Douro Supérieur :

les promesses

d'une terre aride

La carrière Maria Do Ceu Constança, profonde d'une soixantaine de mètres, apparaît dans un paysage lunaire. Ambiance minérale, ni arbre ni buisson. Des bulldozers. Des blocs de pierre. Des piquets, couchés ou dressés en meules, selon leur taille. Du schiste à perte de vue. Un vent violent, une chaleur suffocante. L'impression de traverser un western de Sergio Leone. L'été, les quatre tailleurs de pierre de l'entreprise travaillent de sept heures à quinze heures trente dans une poussière grise qui noircit cheveux, barbes et vêtements. Ils ouvrent la roche à coups d'explosifs. Un bulldozer transporte sur le chantier de taille des blocs de 5,50 mètres de long et de 0,50 mètre de section. Le schiste

Partie orientale du Douro, le Douro Supérieur est délimité à l'est par la frontière espagnole. L'espace s'ouvre ici largement. Les pentes vertigineuses du Haut-Douro cèdent peu à peu la place à de hautes collines dodues, vastes orbes propices à la culture de la vigne, de l'olivier, du figuier et de l'amandier. Les reliefs de cette région aride, presque désertique, battue par le vent, oscillent entre 400 et 800 mètres d'altitude. Si l'on excepte les plantations, les arbres sont plus rares que dans le Haut-Douro, et les garrigues nombreuses. Un climat méditerranéen impose une lumière violente et, en été, une implacable chaleur sèche. Le goudron des routes fond ici plus vite qu'ailleurs. Les chemins de pierre blanchissent les hommes et l'intérieur des voitures d'une poussière farineuse.

Voici Vila Nova de Foz Côa, à environ 38 kilomètres à l'est de São João da Pesqueira par la N 222. On peut y admirer une belle église du XVe siècle en granite, au triple clocher, de style manuélin, au décor intérieur baroque. Devant le monument se dresse un pilori de la même époque. À proximité de la petite cité, quatre carrières exploitent le schiste local. C'est là que l'on produit les longs piquets carrés que les viticulteurs plantent dans les vignes.

Vila Nova de Foz Côa. À gauche, l'un des nombreux piloris dressés à partir du XIIIe siècle sur toutes les places publiques. À droite : l'église de style manuélin, gothique tardif évoquant déjà la Renaissance.

est une roche feuilletée que l'on délite avec des coins de fer, dans le fil de la pierre. Quelques coups de marteau aux bons endroits suffisent. D'une tonne de schiste, on tire ainsi 60 piquets de 2,20 mètres sur 5 centimètres au carré, valant 220 escudos pièce, ou bien 80 piquets de 1,80 mètre, ou encore 100 piquets de 1,60 mètre.

L'ÉLECTRICITÉ OU LA PRÉHISTOIRE ?

L'histoire débute il y a une vingtaine d'années lorsque EDP décide la construction d'un gigantesque barrage sur le Côa. La retenue d'eau ainsi formée doit submerger environ mille hectares, notamment 140 hectares de la

Arides, les reliefs du Douro Supérieur ménagent de vastes espaces en faible pente où la plantation verticale des vignes s'impose.

Chacun des ouvriers fabrique ainsi de cent cinquante à deux cents piquets par jour, des supports en apparence fragiles, cassants, mais quasi éternels une fois disposés en ligne dans le vignoble, à raison d'un piquet tous les quatre ou cinq mètres. Un travail rude, mais un travail. Car, avec la viticulture et l'agriculture, les carrières constituent les seules vraies sources d'emploi du Douro Supérieur. Un temps, les habitants de la région avaient beaucoup espéré du gigantesque barrage qu'EDP (Électricité du Portugal) avait commencé à édifier en 1992 entre les berges du Côa, en amont du confluent avec le Douro...

quinta da Ervamoira, propriété de la maison Ramos-Pinto, qui dès 1974, devancière en la matière, plante des vignes dans le sens de la pente, par variétés séparées. La construction du barrage commence en un lieu sauvage et inquiétant : le Canada do Inferno. Les études d'impact environnemental menées depuis 1989 n'ont pas encore révélé les milliers de gravures paléolithiques, taillées à ciel ouvert, à même les roches, que l'on découvrira en 1992, pendant les travaux. En 1993 et 1994, les archéologues, aidés par la population, mettent au jour d'autres sites. Les gravures rupestres, en partie immergées, s'échelon-

Ci-dessous : des piquets de schiste, tirés des carrières de Vila Nova de Foz Coâ. Lourds, cassants, mais d'une résistance remarquable une fois plantés dans les terrasses.

nent sur 17 kilomètres dans la vallée du Côa et de quelques-uns de ses affluents.

Dès lors, partisans et adversaires du barrage s'affrontent. Les uns arguent de production d'électricité, d'emploi et d'activité économique. Les autres soulignent l'inestimable valeur artistique et archéologique de ces gravures à l'air libre, qui chamboulent les théories des spécialistes de la préhistoire. Car l'art rupestre, pensait-on avant cette découverte, concernait pour l'essentiel les parois intérieures de cavernes. La presse s'empare de l'affaire, qui passionne le Portugal tout entier. L'Unesco s'intéresse au site. À la suite des élections de 1995, un changement de majorité favorise les défenseurs des gravures. En novembre 1995, le gouvernement arrête l'édification du barrage. Un Parc archéologique sera créé. Un musée d'art contemporain et un musée archéologique s'ouvriront en 1999 sur le site du projet abandonné. L'art l'aura emporté sur l'économie....

Le Parc archéologique, qui a ouvert ses portes en août 1996, reçoit 1 250 visiteurs par mois. Il donne accès à trois gisements principaux de gravures, le long du Côa. Onze guides, bilingues ou trilingues, recrutés dans la région, ont été formés sur place. Deux archéologues fouillent le site à plein temps. À l'entrée du parc, un centre de réception moderne, simple et beau – murs de schiste marron et structure métallique bleue – met à la disposition des visiteurs quatre ordinateurs reliés à Internet. Un bar propose jus de fruits, eaux minérales, café, toutes boissons non alcoolisées, afin de ne pas concurrencer les commerces de Foz Côa. Les visites se déroulent sur réservation, en voiture tout terrain, par groupes de huit personnes accompagnées d'un guide. On confie à chaque visiteur un livret porteur du relevé des gravures. Au pied des rochers, le guide commente l'entrelac de chevaux, d'aurochs, de cerfs et de bouquetins gravés dans le schiste, émouvant témoignage

d'artistes qui travaillaient sur les bords du Côa, entre 10 000 et 30 000 ans avant J.-C.

Le Parc archéologique devrait aider à l'essor d'une région enclavée, isolée à la frontière espagnole, à peu près dépourvue d'hôtels et de restaurants convenables. Il faudra développer les infrastructures touristiques pour faire découvrir aux visiteurs les merveilles de ce Douro Supérieur puissant et vrai. Un programme d'un montant de 25 milliards d'escudos devrait encourager le tourisme. Les promoteurs du parc rêvent d'hôtels sortis de terre, de chambres chez l'habitant, de cuisiniers créatifs inventant des recettes fondées sur les produits régionaux, figues, amandes, huile d'olive, agrumes... Échaudés par l'abandon du barrage, qui devait apporter ici prospérité et bien-être, les habitants du Douro Supérieur observent avec scepticisme les projets qu'on leur fait miroiter. L'avenir, en tout

cas, sourit de nouveau à la quinta da Ervamoira, sauvée des eaux, riche de milliers de gravures, implantée dans un paysage de rêve au bout d'un chemin en lacets qui s'enroule autour de collines piquetées d'amandiers et d'oliviers. Pour accéder rapidement aux coteaux, les voitures traversent le Côa à gué, virant court entre les roches et les trous d'eau. Point encore de maison d'habitation, à Ervamoira, mais déjà, dans un bâtiment tout neuf, un musée qui renferme les vestiges romains et médiévaux trouvés dans le vignoble, une salle de dégustation qui donne à savourer les portos de la quinta. Autre plaisir des lieux : le pique-nique au bord du Côa ; une table de bois est installée à demeure dans l'ombre fraîche des acacias et des eucalyptus. On y jette une nappe blanche. On sort de la glacière le vin blanc sec et le tawny, la morue et le fromage de brebis, les amandes et les mandarines. L'oreille bercée par l'eau du Côa qui glisse sur les cailloux, on savoure le moment, le repas et les vins, dans une ambiance digne d'*Out of Africa*. Et c'est ainsi que le Douro est grand.

Helena Moura, archéologue, responsable du Parc archéologique de Vale de Côa, commente les gravures rupestres paléolithiques des rives du Côa.

Porto et Vila Nova de Gaia : l'empire du négoce

*Ci-dessus, à droite et
page suivante : Porto,
Caís (quais) da Ribeira.
Dans ce vieux quartier
populaire, églises et
maisons aux façades
multicolores semblent
empilées les unes sur les
autres.*

*Double page précédente :
les chais Cálem, à Gaia.*

'image, comme distorsion du réel. Porto et Vila Nova de Gaia illustrent à merveille cette altération vieille comme les hommes et le langage. On les dit grises, ces deux cités du bord du Douro ? Elles sont blanches, roses et rousses. On les juge sinistres ? Elles font la fête au premier prétexte, dans un flot de lumières, de musiques, de tawny et de vinho verde. On les estime repliées sur elles-mêmes ? Polyglottes, amicales, elles accueillent avec chaleur le curieux de vintages, le passionné d'azulejos, l'amateur d'églises de granite et de bois doré. Porto, en outre, serait une ville délabrée, humide, quasiment à l'abandon. Classé Patrimoine mondial par l'UNESCO, ce haut lieu de l'architecture baroque, qui élève en son centre d'ingrates tours modernes et tranche dans le vif des quartiers insalubres, restaure avec ferveur son cœur historique. La cité industrieuse s'attache à devenir une métropole culturelle, à l'instar de Lisbonne, la rivale du Sud. Une ambition partagée par la municipalité et le ministre de la culture, le philosophe Manuel Maria Carrilho. Le résultat ? Une floraison impressionnante de projets et de réalisations qui rencontre un écho favorable dans cette ville universitaire, patrie du cinéaste Manuel de Oliveira. La pre-

mière édition d'un festival international de théâtre et de musique s'est tenue en décembre 1997. Depuis 1995, trois théâtres ont été construits ou complètement rénovés. Un autre devrait ouvrir en 1998. L'année suivante, Porto inaugurera un musée d'Art contemporain, œuvre de l'architecte Alvaro Siza. De multiples spectacles, portugais ou étrangers, consacrent l'ouverture de Porto à l'Europe et entretiennent une curiosité pour la création artistique.

Le réel de ces deux anciens ports que l'engorgement de l'estuaire du Douro a rendus caducs, c'est aussi leur réussite économique. Percherons du Portugal, Porto et Vila Nova de Gaia labourent depuis des siècles les champs d'une prospérité rarement démentie. Le porto, inventé ici, sur les bords du fleuve, et que les firmes de Gaia élèvent et exportent, est l'élément emblématique de cette fortune. Le vin de liqueur du Douro n'est pourtant que la partie aérienne d'un arbre dont les racines plongent dans un riche terreau d'industries métallurgiques, textiles et chimiques, qui font du binôme du Douro le premier centre industriel du Portugal. Sous la nonchalance, le sérieux. Derrière le caractère latin, l'opiniâtreté des Portugais du Nord.

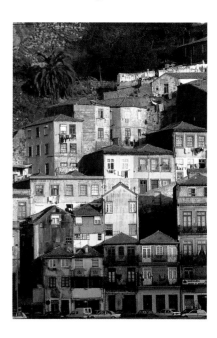

1 Fondation Serralves
2 Rua do Campo Alegre
3 Ponte da Arrábida
4 Solar do Vinho do Porto
5 Ponte de D. Luís I
6 Ponte D. Maria Pia

*Porto : le palais
épiscopal, typique de
l'architecture baroque.*

*Ci-contre : l'electrico
passe devant l'église do
Carmo das Carmelitas,
de style rocaille et
recouverte d'azulejos.*

Une prospérité qui n'apparaît pas de prime abord lorsqu'on aborde Porto et Gaia par le haut, en venant de l'aéroport Francisco Sá Carneiro. Au loin, vitres luisantes sous le soleil, s'étend, sur une dizaine de kilomètres, une vaste agglomération – plus d'un million et demi d'habitants – en chantier permanent, qui s'épuise dans une banlieue infinie, en expansion. Un boulevard périphérique, des autoroutes, des lignes de chemin de fer, larges saignées dans le tissu urbain, frôlent les maisons et les immeubles d'habitation. S'élève de la ville une musique industrielle, rythmée, métallique. Ronronnement sourd de l'effarante circulation automobile qui paralyse la cité toute la journée, coups d'avertisseurs, mugissements des sirènes des bateaux, stridulations de tronçonneuse des motos à deux temps.

Les deux cités dessinent les lèvres du sillon géant creusé dans les falaises par le Douro. Rive droite, Porto, ville résidentielle, universitaire et administrative, se précipite vers le fleuve, en un amphithéâtre de façades multicolores décorées d'azulejos, de balcons ouvragés empilés les uns sur les autres. Une cascade de toits roux, hérissée d'églises et de monuments, pique en pente raide vers le Douro. Les quais gris du Porto médiéval s'étirent de part et d'autre d'un pan incliné léché par l'eau,

qui servait jadis à l'embarquement des tonneaux de vin partant pour Londres et l'Europe du Nord. Amarrés à la berge, des bateaux de promenade attendent les passagers qu'ils emmèneront en croisière sur le Douro. À l'ouest, le long du quai, l'*electrico* suit

ses rails au milieu de la rue, tramway électrique local qui évoque autant Porto que le *cable-car* San Francisco. Sur la rive gauche s'étend Gaia, ville du vin et du négoce. Les chais monumentaux qui colonisent la colline s'abritent sous la peau d'écailles rouges que dessine la longue vague des toits. Entre les hauts murs jaunes, blancs et gris s'insinuent d'abruptes et tortueuses ruelles. Des quais, des pontons de bois. Aucun monument dans cette cité laborieuse, hormis le porto qui mûrit paisiblement dans des tonneaux géants. À l'ouest, les quais mènent vers l'océan Atlantique et ses plages. Porto ct Gaia sentent l'iode et la pierre humide.

PAYSAGE AVEC PONTS

Trois ponts principaux transvasent, de l'une à l'autre, la vie des deux villes. À l'ouest, le pont routier Arrábida, colossale voussure de béton, d'où la vue sur l'estuaire est splendide, relie la rocade à l'autoroute A1, qui mène à Coimbra puis à Lisbonne. À l'est se déploie le pont ferroviaire D. Maria Pia, audacieuse sculpture de fer jetée à 60 mètres au dessus du fleuve par Gustave Eiffel, achevée en 1877. Entre les deux, au cœur de Porto et de Gaia, le pont D. Luís I a été construit par un élève d'Eiffel, de 1880 à 1886. Longue de 170 mètres, l'arche de fer enjambe le fleuve à 70 mètres de haut. Deux tabliers relient le bas et le haut de Gaia et de Porto. Le tablier supérieur débouche, côté Gaia, à proximité du monastère da Serra do Pilar. Géré par l'armée portugaisc, l'édifice

Vila Nova de Gaia (au premier plan) et Porto (au fond) sont situées de part et d'autre de l'estuaire du Douro. Porto, cité universitaire et résidentielle, occupe la rive droite ; Gaia, ville des chais, la rive gauche. À droite, le pont D. Luís I.

Au centre, le baroque dans tous ses états : à Porto, l'église da Misericordia, rua das Flores.

*Le pont ferroviaire
D. Maria Pia.
Une audacieuse sculpture
de fer jetée sur le Douro
par Gustave Eiffel.*

Sous le pont D. Luís I, côté Porto, des enfants se baignent en riant au pied des piles de pierre. En face, les égouts de Gaia. Des bancs d'énormes poissons au museau triangulaire s'agglutinent à la sortie des buses, attirés par la provende. Toute la journée, et tard en soirée, des pêcheurs à la ligne capturent ces animaux immangeables, qu'ils rejettent assez souvent dans le courant. L'état du fleuve exprime d'une certaine façon les aspects contradictoires du développement de

n'est pas ouvert aux visiteurs, mais sa terrasse révèle, en fin d'après-midi, un Porto glorieux sous la lumière dorée, et l'éblouissement d'un Douro en fusion. En bas, à la sortie d'un tunnel routier creusé sous la colline, le tablier inférieur relie le vieux Porto aux chais de Gaia.

Le pont D. Luís I est l'axe névralgique de l'agglomération. Des migrations quotidiennes l'engorgent toute l'année. Le matin, vers huit heures, un lent cortège de voitures s'étire du tunnel de Porto aux chais de Gaia. À midi et demi, le mouvement s'effectue en sens inverse, car la plupart des habitants de Porto rentrent déjeuner chez eux. Une heure plus tard, retour sur la rive gauche. Enfin, à dix-sept heures trente, le boa de métal et de caoutchouc traverse le Douro dans l'autre sens. S'installe alors, aggravé par la sortie des bureaux de Porto, un long et compact embouteillage que sont impuissants à diluer les policiers postés de chaque côté de l'ouvrage, et dont, l'été, un casque colonial protège le front blasé. Les trottoirs résonnent du pas de ceux qui se déplacent à pied, découragés par une circulation impossible.

Porto et de Gaia. Dynamiques, en voie de modernisation, en pleine expansion, les deux villes gardent encore un pied dans le siècle passé. Les firmes de Gaia sont depuis longtemps équipées d'ordinateurs, de télécopies, la plupart utilisent le réseau Internet ; leurs dirigeants parcourent le monde et se déplacent parfois en hélicoptère dans le Douro. Mais la ville devra attendre l'an 2000 pour avoir sa station d'épuration. La pollution qui ravage des eaux pourtant lessivées par les marées quotidiennes affecte spécialement la plage de Porto. Pas de métro dans l'agglomération, car le granite, trop dur, rend difficile le creusement de tunnels, ni de transports publics efficaces, même si la construction d'une seconde ligne de tramway est envisagée. L'essor économique semble, ici comme ailleurs, devancer les structures et l'équipement des deux villes. Porto et Gaia, grandissent vite, et font craquer leur bel habit, trop vieux, trop juste.

*Le pont routier D. Luís I, axe
essentiel de la vie locale. Cette
dentelle métallique a été
construite par un élève d'Eiffel.
Deux tabliers relient le haut et
le bas des deux villes.*

Vila Nova de Gaia, l'entrepôt

Tuiles rousses, murs couverts de chaux : les chais de Gaia.

Ci-dessous : à Gaia , les rabelos *à quai. Voués jadis au transport des vins du Douro jusqu'aux chais, ces bateaux servent aujourd'hui la communication des firmes.*

À pied, on traverse le pont D. Luís I vers Gaia. À gauche, les chais de la maison Cálem, dont les murs chaulés resplendissent au soleil, captent le regard. Les quais de Gaia bordent une rue pavée de guingois, parcourue d'un fleuve de voitures qui exhalent des odeurs d'huile chaude. Côté colline, des boutiques, des épiceries, des restaurants, des bureaux, quelques-uns des quatre-vingts chais d'élevage et de réception des marques, qui emploient ici environ trois mille personnes : Cálem, Noval, Sandeman, Ramos-Pinto, Ferreira... Le long du fleuve s'alignent une douzaine de *rabelos* multicolores, voiliers sans quille au long gouvernail caudal, dont les voiles carrées portent le nom des firmes.

Sur les quais mêmes s'étendent des cafés, des restaurants, à l'enseigne des maisons de porto. Le soir, sur les terrasses éclairées *a giorno*, des orchestres rassemblent deux ou trois musiciens, claviériste, guitariste, vocaliste. Une chanteuse s'accompagne parfois d'une bande-son instrumentale, soliloque vocal sur fond de cordes et de cuivres. Plus rarement, un batteur africain renforce le groupe. Ses rythmes décalés, lentement syncopés, colorent d'un parfum de Mozambique un répertoire de variétés, mi-rock mi-salsa, épicé d'une tournure de *world music*.

Les chais du négoce dévalent la falaise jusqu'au bord du fleuve. C'est l'« entrepôt », un dédale de mille hectares, animé comme une usine. En frôlant le coin des murailles, les véhicules colorent la pierre d'éclats de peinture. Les camions, les R 5, les Fiat, les Mercedes, les BMW, et les quatre-quatre anglaises ou japonaises, si pratiques pour escalader les pentes du Douro, se croisent en un maelstrom pétaradant. Les semi-remorques barrent les ruelles. Les chauffeurs déchargent des palettes de bouteilles neuves, des cartons, des

machines. Les employés des firmes chargent des caisses de porto, des tonneaux. La circulation entre les chais obéit à un rapport de forces et au respect de la hiérarchie sociale. Les camions l'emportent absolument sur les voitures qui marquent entre elles une déférence révélatrice d'un poids social, institutionnel ou économique. Une fugace et discrète préséance s'instaure entre les différentes nationalités, liée, elle aussi, à l'ancienneté de telle ou telle firme à Gaia.

Construits au fil des siècles, les chais immenses occupent parfois tout un quartier. Les vins descendus du Douro au printemps mûrissent ici, dans un climat à la fois humide et frais qui exalte leur finesse et leur chair. La quasi-totalité (98 %) de la production du Douro séjourne ainsi à Gaia avant d'être exportée dans le monde entier. Les bâtiments les plus proches de l'eau souffrent des sautes d'humeur du fleuve. Dangereux sous son air bonasse, celui-ci se répand, à l'occasion, en crues dont quelques-unes, mémorables, ont bien failli emporter le tablier inférieur du pont D. Luís I. Le long des murs, des inscriptions de peinture blanche ou noire enregistrent le niveau et la date des différentes

À gauche et ci-dessus :
Vila Nova de Gaia. En
plein soleil, le linge sèche
aux fenêtres des maisons
d'habitation qui se mêlent
aux chais.

Les quais de Gaia,
vus de Porto.

Ci-dessous : à Gaia,
deux rabelos *de figuration*
évoquent une activité
portuaire disparue.

Page suivante : les chais
Ramos Pinto, à Gaia.
Le sol de terre battue
assure la régulation
de la température et de
l'humidité.

inondations, qui atteignent parfois 1,70 mètre. On a depuis longtemps creusé, dans les montants des portes, des trous horizontaux où l'on dispose en temps voulu les barres de fer qui empêchent les tonneaux de flotter d'une pièce à l'autre.

Les cathédrales du porto sont bâties en pierre et couvertes de tuiles rondes ou mécaniques. Un sol de terre battue régule l'humidité et la température des chais, parfois revêtu de pavés de bois taillés dans de vieilles douelles. Cette souple marquetterie de chêne amortissait le choc des tonneaux que l'on roulait d'une pièce à l'autre, avant que les chariots élévateurs n'assurent la manutention. Les chais contiennent des milliers de tonneaux, de chêne, de châtaignier, de bois africain. Les foudres se dressent à même le sol. Les pipes et les fûts se superposent sur trois ou quatre rangs. Dans la plupart des firmes, un atelier de tonnellerie assure l'entretien et la réparation des récipients, sauvegardant chaque année une bonne centaine de fûts. Des caveaux spéciaux, parfois climatisés, recèlent des casiers de béton, où les bouteilles de vintage attendent leur commercialisation, couchées dans la pénombre.

AU LONG DES QUAIS

En saison, du printemps à l'automne, Gaia accueille un nombre impressionnant de touristes. Envahis par une foule bigarrée, les quais prennent une allure de Mont-Saint-Michel. Des tracts, des affiches, des rabatteurs pressent les passants de se rendre dans telle ou telle maison. Une noria d'autocars draine un flot de voyageurs vers les salles de réception de Cálem, de Sandeman, de Ferreira... Chacune des maisons reçoit ainsi tous les ans de 70 000 à 100 000 visiteurs, venus principalement d'Europe. Les agences de voyage et les marques organisent conjointement cette vaste opération de relations publiques. Quelques bouteilles ou caisses de porto entretiennent la bonne grâce des chauffeurs de car. Des hôtesses, vêtues d'uniformes aux couleurs des firmes, initient en deux ou trois langues au porto et à ses techniques.

Une déambulation commentée parmi les fûts, les pipes, les portraits des fondateurs des marques, les vieux livres de comptes et les diplômes précède la dégustation des produits maison, le plus souvent gratuite. On propose en général deux vins : un porto blanc, parfois allongé de Schweppes, un ruby ou un tawny. Jamais, bien sûr, de vintage, vin rarissime, sauf exception. Chaque firme consacre ainsi environ 15 000 à 20 000 bouteilles par an à l'édification des touristes. Ces derniers s'en retournent assez souvent lestés de la bouteille

*Les chais de Cálem,
à Gaia. Le porto s'affine
lentement dans les pipes
(à droite) et dans
les foudres (au fond,
à gauche).*

*Pastorale et vers de
mirliton : une ancienne
publicité pour Ramos-
Pinto.*

*Ci-contre : chez Noval,
on présente avec fierté les
vins maison. Ici, un
vintage, sommet du porto.*

de tawny ou du petit carton panaché dont ils ont fait l'emplette. Curieusement, nombre de visiteurs français demandent à voir les lavoirs et les lavandières. En France, il est vrai, Jacqueline François et Luis Mariano avaient immortalisé, voici une trentaine d'années, les blanchisseuses lusitaniennes en interprétant « Les Lavandières du Portugal ». Cette œuvre impérissable, qui exalte une indépendance économique féminine conquise à la force du battoir, célèbre, d'ailleurs, non le porto, mais la manzanilla, exquise version marine du xérès fino, élaborée en Andalousie. Une licence poétique...

Soucieuses de publicité, les maisons de Gaia ont souvent aménagé des musées dans leurs établissements, ou organisent des visites dans les espaces les plus caractéristiques. Chez Cálem, avenida Diogo Leite, en haut d'une volée de marches, un vaste hall de marbre mène à des chais exemplaires qui rassemblent tous les types de tonneaux. Un peu plus loin,

sur le même trottoir, s'élève le haut bâtiment de Sandeman. Une salle de réception voûtée, flanquée à droite d'un petit musée. Une série de flacons historiques, dont l'un soufflé en 1650, montre l'évolution progressive de la bouteille de porto, du récipient en forme de gourde au contenant contemporain. Un joli

dessin de 1870 représente le Douro. Des cachets de cire. La marque à feu Sandeman, créée en 1805. Le dessin original du logotype Sandeman, étudiant enveloppé d'une cape noire et couvert d'un chapeau andalou, réalisé en 1928 par George Massiot-Brown. De l'autre côté du hall sont exposés d'anciens pressoirs, des pompes à vin, des paniers, des mannequins figurant des travaux vignerons et une maquette des terrasses du Douro.

Chez Ramos-Pinto, établi dans l'avenue du même nom, les bureaux de bois sombre du XIXᵉ siècle ont été restaurés et les locaux transformés en musée. On peut y contempler des azulejos bleus et blancs mettant en scène les ébats de nymphes et de faunes, qui reflètent le tempérament hédoniste du fondateur de la marque. Chez Ferreira, un peu plus à l'ouest, les bâtiments s'ordonnent autour d'une maison de granite construite à la fin du XVIIIᵉ siècle. La cour d'origine, aujourd'hui couverte d'un toit, est pavée de bois. Des chais labyrinthiques, d'une capacité d'environ 100 000 hectolitres, enveloppent la colline comme une coquille d'escargot. On les traverse en suivant de larges couloirs. Au premier étage, la salle de dégustation technique – crachoirs et longue paillasse – donne sur les toits de Gaia et les quais de Porto.

Des bruits de marteau guident les visiteurs vers le petit chantier naval établi de l'autre côté de la rue, le seul de Gaia, que dirige David da Costa Alve. Une dizaine de carcasses de bateaux, baleines réduites au squelette, pourrissent sur le pavé en pente vers le fleuve. Depuis quatre décennies, cinq ou six charpentiers de marine construisent ici chaque année une ou deux embarcations et en réparent dix à douze. Ils fabriquent pour l'essentiel des *rabelos*, voiliers traditionnels du Douro. Construits en bois d'eucalyptus, de chêne et de pin traité, dépourvus de quille, les *rabelos* sont équipés d'un mât de 11,5 mètres et d'une voile en toile écrue de huit mètres sur neuf.

Le dernier *rabelo* à descendre le fleuve jusqu'à Gaia fut celui de Cockburn, en 1965. Aujourd'hui les firmes de Gaia constituent 80% de la clientèle du chantier. Elles commandent des *rabelos* à des fins de publicité, en particulier pour participer à la course de la Saint-Jean, le 24 juin, qui réunit le gratin du négoce. Il leur en coûte trois mois d'attente et

environ 4 millions d'escudos pour un esquif de dix-sept à vingt mètres de long. Le *rabelo* sert de modèle à des bateaux de tourisme destinés aux promenades sur le Douro. Une quille de douze centimètres souligne la coque de ces embarcations de vingt-quatre mètres sur cinq, fabriquées en sept mois. Sans moteur, elles coûtent 16 millions d'escudos, et 22 millions avec un groupe de propulsion. Ces *rabelos* d'opérette fourmillent sur le Douro.

1 Andresen
2 Barros et Almeida
3 Borges et Irmão
4 Burmester
5 Cálem
6 Churchill Graham
7 Cockburn et Smithes
8 Croft
9 Delaforce
10 Ferreira
11 Fonseca Guimaraens
12 Forrester
13 Graham
14 Gran cruz

15 Hunt Constantino
16 Kopke
17 Niepoort
18 Noval (quinta do)
19 Osborne
20 Poças Junior
21 Quarles Harris
22 Ramos Pinto
23 Real Companhia Velha
24 Romariz
25 Rozès
26 Sandeman
27 Clemente da Silva
28 Smith et Woodhouse
29 Taylor
30 Warre
31 Wiese and Krohn

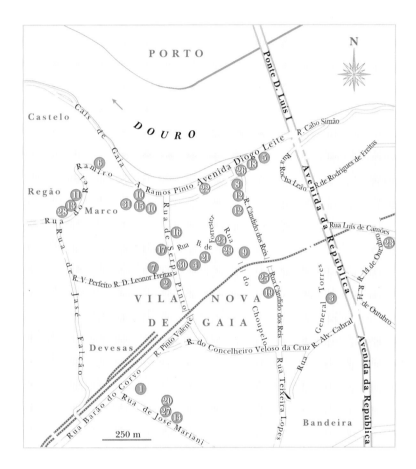

SUR LES HAUTEURS DE GAIA

Après les chais du bord de l'eau, ceux de la colline. La maison Poças Junior est établie tout en haut de Gaia, rua Visconde das Devesas, dans un bâtiment de béton fonctionnel mais sans grâce. Les chais Burmester, travessa Barão de Forrester, se signalent par un porche au joli décor d'azulejos. Ceux de Graham, filiale de la firme familiale Symington, premier exportateur, s'étendent rua Rei Ramiro. Du bâtiment blanc à la terrasse rythmée de treilles verticales, la vue sur Porto et le pont D. Luís I est envoûtante. Des hôtesses accueillent les visiteurs dans un vaste hall meublé d'une cinquantaine de petites tables à quatre pieds, confectionnées à partir de tonneaux tronqués. Des vitrines exposent des photos de famille, une série discontinue de bouteilles de vintages élaborés entre 1870 et 1945. Derrière, la partie des chais accessible aux touristes, qui peuvent observer le chantier de tonnellerie avant de goûter les vins de quelques-unes des marques du groupe anglais : Graham's, Dow's, Warre's, Smith et Woodhouse. Des privilégiés peuvent savourer, à l'occasion, un tawny Warre's centenaire, dont la forte acidité volatile ne parvient pas à gâcher la suavité, la finesse, les arômes de café, d'épices, de tabac et de torréfaction de ce vin d'exception.

Les chais Niepoort s'ouvrent au milieu d'une ruelle pentue, rua de Serpa Pinto, derrière un portail en bois anonyme. Nul panneau n'indique ce haut lieu du porto à la visite duquel les touristes ne sont pas conviés. Grand et blond – il est d'origine hollandaise –, Dirk van der Niepoort, qui semble vivre d'abord pour le porto, cultive une discrétion extrême. Il dirige l'une des deux plus petites maisons de porto, et commercialise 500 000 bouteilles tout au plus chaque année. Rien de clinquant ni d'ostentatoire, ici. Tout semble investi dans les raisins, l'élaboration et l'élevage des vins.

Les chais Burmester.

À droite : Dirk van der Niepoort, dans une salle de dégustation aménagée au siècle dernier. Une conception rigoureuse du porto.

Une austérité spartiate règne dans ces chais de travail exigus, encombrés de foudres et de pipes entre lesquels on doit se glisser. Sur la droite, intacte depuis le XIXᵉ siècle, s'ouvre une petite salle de dégustation que commande une porte à double battant, au mécanisme couinant. Une fenêtre, deux lavabos. À droite de la pièce, une paillasse et des étagères croulant sous des centaines de flacons emplis des tawnies les plus divers, d'essais de vinification, de vins de cépages, de muscats. À gauche de la fenêtre, une tablette porte des registres noirs où sont sans doute consignés les assemblages des vins, ainsi qu'une petite boîte métallique où l'on range quelques billets. Cet endroit authentique et désuet illustre on ne peut mieux la conception que Dirk van der Niepoort se fait du porto.

Héritier polyglotte d'une famille hollandaise venue s'installer ici au milieu du XIXᵉ siècle, né au Portugal, Dirk van der Niepoort parle le portugais avec l'accent de Porto. Il habite une grande maison flanquée d'un jardin sur les hauteurs de la ville, et cuisine avec talent pour ses invités, confrères et amis. Pour lui, la vérité du porto se trouve dans le vignoble et le passé. Sceptique à l'égard d'une œnologie qui vient de prendre les commandes à Gaia et dans le Douro, il s'attache à la tradition, animé d'un empirisme curieux et raisonné, cependant bien distinct de l'obscurantisme de nombreux vignerons. Dirk van der Niepoort cherche à obtenir des vins traditionnels au sens, dit-il, des années cinquante dans le Douro : vieilles vignes, vendange non éraflée, vinification en lagares. Ses vintages et ses tawnies fascinent les connaisseurs.

Sous les chais de Gaia, au sous-sol, Dirk van der Niepoort réserve une cave aux *garrafeiras*, ces portos qui commencent comme des LBV (late bottled vintages) et finissent comme des tawnies. Leur production semble aujourd'hui abandonnée. Dans l'obscurité, cinq cents bon-bonnes allemandes de onze litres, soufflées au XVIIIe siècle, reposent debout sur des étagères de bois. Pointe extrême des portos oxydatifs, les *garrafeiras* vieillissent d'abord de trois à six ans en fût, puis de quinze à cinquante ans en bonbonne. Après embouteillage, ces vins, dont se régalaient naguère les Portugais, conti-nuent à évoluer. Dans la salle de dégustation

À droite : les garrafeiras *de Niepoort. Ces vins achèvent leur élevage dans des bonbonnes de verre .*

À gauche : chais de Graham. Le porto mûrit dans des pipes empilées les unes sur les autres.

attenante, une vitrine murale expose une collection d'environ trois cent cinquante tire-bouchons. De longues tables et des bancs de bois sombre permettent de découvrir les portos maison, entre autres un fabuleux vintage 96 au nez de fruits noirs, monstre de concentration, de tanins et de rondeur.

Gaia. Barco rabelo *en construction au chantier naval de David da Costa Alve.*

EFFLUVES OCÉANIQUES

Il suffit de descendre la rue de Serpa Pinto pour retrouver le Douro. Prendre à gauche, vers l'Atlantique, passer devant le chantier naval de David da Costa Alve. Quitter l'« entrepôt » de Gaia, en suivant le quai étroit bordé de lourdes chaînes et de glissières de sécurité. Des dizaines de pêcheurs à la ligne composent une haie mobile et laborieuse. La rue passe sous l'arche bétonnée du pont Arrabida avant d'atteindre Afurada. Pelotonné au pied d'une falaise blanche, Afurada est un village de pêcheurs tonique, populaire et pittoresque. Le port longe le fleuve, puis se tourne résolument vers l'estuaire. Des bateaux aux couleurs vives se dandinent sur les flots. Des marins ravaudent un filet. Des mouettes crient. Des chemises sèchent aux fenêtres. Durant tout le mois de juin, Afurada est en fête. Des arches d'ampoules électriques

s'élancent au-dessus des rues. Le soir, colonnes sautillantes et costumées, des groupes folkloriques répètent sur le pavé les danses et les chants syncopés qu'ils interpréteront dans quelques jours. Le dimanche matin, l'estuaire du Douro est en effervescence. Des barques à moteur, des chalutiers, des chaloupes tournent en larges boucles dans l'eau écumeuse. Sur la berge, des hommes et des femmes en habits de

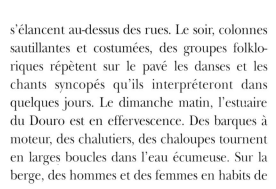

*En bas à gauche
et ci-dessus : Afurada.
À l'ouest de Gaia, un
village de pêcheurs tonique
au bord de l'océan
Atlantique. L'air sent
l'iode, le pin, le cèdre et le
varech.*

fête agitent des mouchoirs blancs en direction des marins.

Au bord du quai, le Margem, un restaurant tout neuf dont les fenêtres donnent sur Porto, sert, cuits à la perfection, sardines, rougets, turbots, daurades. Afurada réserve parfois d'admirables surprises olfactives. Ainsi d'un midi d'été, quand, curieusement, la brume mouille le port et les maisons, au lieu de se dis-

perser sous l'action du soleil. Se mêlent alors, en un chavirant aérosol, des odeurs d'iode, de varech, de pin, de garrigue, de cèdre. À la sortie sud d'Afurada, la N 109 mène, à une dizaine de kilomètres, aux plages d'Espinho. Eau froide et rochers ronds, baraques à gourmandises et publicités pour des crèmes à bronzer, ces étendues de sable fin rappellent la Bretagne.

Porto, la métropole du Nord

Ci-dessous : Porto, la Sé. Massive, évoquant une forteresse, la cathédrale de Porto est l'un des premiers monuments romans du Portugal.

Page suivante : la librairie Lello et Irmão. Quarante sections, plus de quatre-vingt mille titres et une architecture somptueuse.

Pour rejoindre Porto, on passe à nouveau le pont D. Luís I. Le cœur branché de la cité bat à la sortie de l'ouvrage d'art. La vieille ville s'étend autour de la praça da Ribeira, sur les pentes d'une colline dominée par la cathédrale, la Sé. Bâtiments médiévaux, ruelles sombres en pente vers l'eau. Immeubles et maisons multicolores, balcons chargés de linge. Sous les arcades, des restaurants, des cafés. Tout le Porto du vin semble concentré ici, entre la Factory House, l'Institut du vin de Porto, la Bourse de commerce, à proximité du marché Ferreira Borges.

Dans ce quartier en pleine rénovation s'ouvrent des magasins et des restaurants, s'installent, le long du Douro, des terrasses aérées d'où l'on peut contempler Gaia. Caís da Ribeira s'alignent de ravissantes maisons à encorbellement. Il fait bon flâner au hasard parmi les rues. Remonter, par exemple, la rua das Florès, bordée de palais baroques et de vieilles boutiques aux devantures de bois tarabiscotées. Cette voie pavée mène à la gare de São Bento, ultime halte des trains venus du Douro. À l'intérieur, la salle des pas perdus s'orne de remarquables panneaux d'azulejos. Ils racontent des scènes de la vie populaire, les grands événements de l'histoire portugaise, l'évolution des moyens de transport jusqu'à l'invention du chemin de fer.

On doit se rendre à la plus belle librairie d'Europe, la maison Lello et Irmão, rua das Carmelitas. Ce rêve de bibliophile est ouvert depuis quatre-vingts ans dans une rue pentue où des femmes en noir vendent des fleurs, des choux, des fruits, des jouets, de la morue. En quarante sections, la librairie Lello et Irmão propose plus de quatre-vingt mille titres de tous pays, dont une bonne trentaine consacrés au seul porto. Incroyable choix de livres de cuisine et de gastronomie. Des centaines d'ouvrages anciens. Et aussi, une architecture originale et somptueuse avec une façade blanche de style néogothique ornée de peintures allégoriques de José Bielman célébrant l'Art

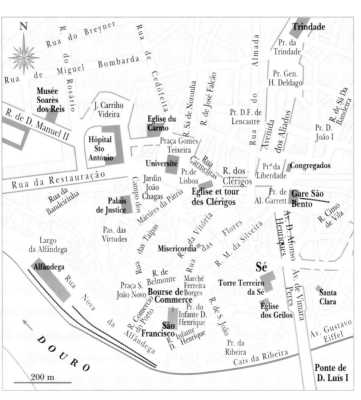

et la Science. L'intérieur de la librairie est encore plus surprenant. Étagères en bois sculpté, piliers à l'effigie d'écrivains portugais, tables chantournées. Au fond, un escalier s'élève en volutes jusqu'à un premier étage prolongé d'une galerie. Un remarquable vitrail bleu et jaune éclaire le plafond ciselé. Derrière la triple fenêtre, les libraires ont installé un petit salon de thé, meublé de tables rondes et de chaises en bois rouge tapissées de tissu bleu. On peut y savourer un thé, un café, un verre de ruby, en compulsant des ouvrages rassemblés à l'occasion d'expositions thématiques. Celle consacrée au porto associe une dégustation de vieux tawnies à une présentation de tous les livres disponibles sur le vin de liqueur du Douro.

FOZ DO DOURO : L'ÉLÉGANCE COSSUE DES BEAUX QUARTIERS

Pour se rendre dans le quartier huppé de Porto, Foz do Douro, on quitte le centre historique, et l'on suit le quai vers l'ouest. Vastes maisons noyées dans la végétation. Larges avenues paisibles bordées d'arbres. Les grandes familles de Porto habitent ici, à prix d'or. La plage, autrefois réservée aux seuls Anglais, est ourlée d'une promenade jalonnée de colonnades jaunes, qui confère aux lieux l'atmosphère d'un Brighton du siècle dernier. Le meilleur marchand de vins de la ville, la maison Alberto Augusto Leite, tient commerce ici, rua do Passeio Alegre. Il occupe trois boutiques sur le même trottoir. D'abord, une épicerie dans un désordre invraisemblable, où l'on trouve des jambons, des fromages de brebis de montagne, des épices, des conserves.

Ci-contre : détail de la façade de la librairie Lello et Irmão.

Ci-dessous : le Majestic café, rua Santa Catarina. Un lieu de rendez-vous des habitants de Porto.

Foz do Douro. Aujourd'hui, tout le monde peut flâner le long d'une plage autrefois réservée aux Anglais.

Au sous-sol, une remarquable collection de vieux portos, – tawnies, vintages et colheitas. Une deuxième boutique vend du matériel de cuisine. Enfin, une cave présente les vins du monde entier, où les crus français – champagnes, grands médocs, bourgognes... – sont bien représentés.

Matosinhos jouxte Foz do Douro ; on y a aménagé le port artificiel de Leixões, dont les pêches représentent environ le tiers des prises du Portugal. À la Casa Mariazinha, rua I Dezembro, on savoure des poissons tout juste sortis de l'océan. Il est hélas impossible de réserver sa table dans ce restaurant vierge de télévision, familier des entreprises et des gourmands locaux. On doit donc se présenter tôt pour se régaler de sardines grillées, de poulpe braisé, de morue dans tous ses états, de rouget, de thon, de bar...

LES ÉGLISES : SUR LE GRANITE MÉDIÉVAL, LA PROFUSION BAROQUE

Porto s'explore aussi bien selon des thèmes. Ainsi des églises, l'une des richesses de la ville. La cathédrale, la Sé, l'un des premiers monuments romans du Portugal, domine le vieux Porto. Ses créneaux et ses tours carrées lui donnent une allure de forteresse. À l'intérieur s'est déployé le talent de Nicolau Nasoni, le grand artiste du Porto baroque. Les bois dorés (*talhas douradas*) du maître-autel, dus au sculpteur et architecte toscan, constituent, avec un retable du XVIIᵉ siècle et un bénitier, le principal attrait du monument. Dans le cloître gothique qui flanque la cathédrale, des panneaux d'azulejos du XVIIIᵉ siècle représentent des scènes des *Métamorphoses* d'Ovide, et du Cantique des Cantiques.

L'église dos Clérigos a été édifiée par le même Nasoni, au milieu du XVIIIᵉ siècle. Sa façade rocaille évoque les éphémères constructions

Porto : São Francisco.
Ancien couvent franciscain,
l'église fut édifiée à partir
du XIIIᵉ siècle. Un portail
baroque orne l'austère façade
de granite.

oiseaux, anges. On peut admirer ici une statue gothique polychrome de saint François et surtout, dans une chapelle, un Arbre de Jessé en bois sculpté, représentation médiévale de la généalogie du Christ. La visite se prolonge de l'autre côté du parvis, dans la maison du tiers ordre de Saint-François. Un petit musée d'art religieux expose quelques toiles anecdotiques. Noire et blanche, la crypte mortuaire est sinistre avec ses têtes de morts alignées sur les murs. On marche sur des tombeaux simplement protégés par d'épais panneaux de bois.

L'intérieur de l'église São Francisco, chef-d'œuvre de l'art baroque, contraste avec la sobriété de son aspect extérieur.

Ci-dessous : le Solar do Vinho de Porto, un beau site dominant l'estuaire du Douro.

de bois et de carton que les habitants de Porto dressaient pendant les fêtes religieuses. On accède à l'église par la gauche, en soulevant un rideau de tissu grenat qui révèle une architecture baroque et une coupole ovale. La tour carrée dos Clérigos, haute de 76 mètres, se dresse juste à côté du bâtiment. Il faut gravir six étages et deux cent vingt-cinq marches, passer sous les cloches, se coller à la pierre afin de laisser descendre les visiteurs, pour parvenir à la plate-forme supérieure. De là, on découvre Porto, ses monuments, ses parcs, ses rues, ses places, et de l'autre côté du Douro, les toits de Gaia, avec, au fond, la vallée du Douro.

La visite de São Francisco et de sa crypte est payante. De style gothique, cette église se dresse dans le vieux Porto, à quelques pas des quais, à côté de la Bourse. Ancien couvent franciscain fondé au XIIIe siècle, cet édifice d'aspect modeste recèle un intérieur luxuriant, chef-d'œuvre du baroque. La nef resplendit des deux cent dix kilogrammes d'or à vingt-deux carats dont les artistes ont orné les sculptures en bois, les retables, les piliers, les voûtes. L'ensemble s'enrichit d'un décor végétal, voire bucolique : pampres et grappes,

AU DÉTOUR DES MUSÉES

Deux musées célèbres à Porto. Tout juste réaménagé, le musée Soares dos Reis, du nom du sculpteur né à Vila Nova de Gaia en 1847, est installé dans le palais dos Carrancas, ancienne résidence royale, construit à la fin du XVIIIe siècle. À la veille de la Seconde Guerre mondiale, la municipalité de Porto avait acquis ce monument détenu alors par l'ordre de la Miséricorde, qui en avait lui-

même hérité en 1937. Dans la longue salle lumineuse qui donne sur le jardin central, sont exposées les sculptures allégoriques de Soares dos Reis (La Loi, la Musique, la Richesse) ainsi que « O Desterrado » (« le Banni »), un marbre qui évoque la *saudade* (« nostalgie »), chef-d'œuvre longtemps reproduit sur les billets de banque portugais. Une sculpture aussi célèbre ici que le *Penseur* de Rodin en France. Les peintures datent pour l'essentiel du XIXe et du début du XXe siècle. Sont accrochées les œuvres de grands artistes portugais influencés par Millet ou par l'école de Barbizon, tels José Malhõa, Columbano, Antonio Silva Porto, Carlos Reis. On peut aussi contempler les toiles de petit format que le peintre naturaliste Henrique Pousão rapporta d'un séjour en Italie : « Maisons blanches de Capri », « La Porteuse d'eau » et, dans le jardin, un bassin circulaire bordé de buis. Au pied des escaliers qui mènent à la cafétéria, de superbes azulejos bleus aux motifs végétaux tranchent sur l'ocre du mur.

Appelée aussi musée d'Art moderne, la fondation Serralves est située rua de Serralves, dans un parc de 18 hectares. Acquis en 1986 par l'État portugais, ce pavillon rose bâti dans les années trente ne présente aucune collection permanente. Issue en 1989 d'un partenariat entre le gouvernement et diverses institutions privées, la fondation Serralves organise des expositions d'artistes contemporains. Les œuvres de Miró, Tàpies, Zorio, Angelo de Sousa ont déjà reçu l'hospitalité de ses hautes salles claires. La décoration intérieure du bâtiment doit beaucoup aux conseils de Lalique, Perzel, Rulhmann. Le jardin, conçu par le paysagiste français Jacques Greber, est le lieu de détente d'étudiants, d'écoliers, de voisins. Au gré d'allées pavées, de chemins tortueux, ils se promènent parmi les bassins, les buis impeccablement taillés, les pelouses fleuries, les canaux, le long d'un lac romantique. Tout en

Porto : fondation Serralves. Les écoliers de la région fabriquent des centaines d'épouvantails qu'ils exposent dans un pré.

bas du parc, à côté d'une ferme, des centaines d'épouvantails, fabriqués par les enfants des écoles de la région et du nord du Portugal, s'accumulent au fil des mois au beau milieu d'un pré. On les brûle à la fin de l'année, préparant l'espace pour une nouvelle collection.

Le fado des touristes, le jazz des initiés

Si l'essentiel du fado s'invente à Coimbra et à Lisbonne, on peut cependant espérer entendre ces mélopées nostalgiques à Porto. Le fado ? C'est le blues portugais. L'une des rares musiques populaires européennes toujours vraies et vivaces, avec le bouzouki grec et le flamenco andalou. Le fado est l'héritier des mélodies des troubadours médiévaux et des chants des marins partis à la découverte du monde. Il tiendrait son nom du latin *fatum* (« destin »). Il exprime l'âme du peuple portugais et la *saudade* (« nostalgie ») des exilés. Né au début du XIXe siècle, le fado fait florès à Lisbonne, puis à Coimbra, ville universitaire. Utilisé contre Salazar, il tombe en disgrâce après la Révolution des Œillets – on le juge réactionnaire et passéiste. Il trouve une faveur nouvelle grâce à des artistes comme la chanteuse capverdienne Cesaria Evora ou le

groupe Madredeus, qu'a rendu célèbre *Lisbonne Story*, le film de Wim Wenders. Où écouter du fado à Porto ? Dans le vieux quartier. Installé dans une ruelle qui descend vers le fleuve, le *Mal Cozinhado* (« Mauvais Cuisinier ») justifie pleinement son nom. Le fado que l'on y écoute est assez traditionnel. Ce soir-là, trois chanteuses se succèdent à une heure d'intervalle sous les voûtes de pierre du caveau. Châles, longues robes, voix sombres. Deux guitaristes accompagnent les interprètes. L'un marque le tempo à la guitare sèche. Le second dessine des contrechants mélodiques à la guitare portugaise, à douze cordes et au ventre bombé. Un climat musical délicat, sensible, retenu. Un groupe de touristes marque le rythme en tapant du verre sur la table. Une fois leur tour achevé, les chanteuses passent entre les tables rondes, proposant aux dîneurs les cassettes de leurs chansons. Les spectateurs filment les musiciens, qui protestent. Ils entonnent des chants nationaux, s'entrephotographient à côté des vocalistes...

À proximité de l'Institut du vin de Porto, rua do Comércio do Porto, un club de jazz, le Café Concerto, propose une musique moderne, du be-bop à nos jours, interprétée par des *jazzmen* portugais. Une scène, un piano, une ambiance chaleureuse. Une fois par mois environ, les musiciens locaux ou de passage viennent s'y rencontrer en de longues improvisations, à partir de minuit.

LES LIEUX DU PORTO

Autre thème possible pour visiter la ville : les lieux du porto. À deux pas des cais da Ribeira, rua Infante D. Henrique, s'élève le plus prestigieux d'entre eux : la Factory House. Bâti de 1786 à 1790, ce haut bâtiment de granite, au rez-de-chaussée rythmé d'arcades, exprime on ne peut mieux l'influence historique du

négoce, l'art de vivre et le sens de la ritualisation britanniques. Fermé pendant les invasions napoléoniennes, le siège de l'Association des exportateurs anglais fut rouvert en grande pompe le 11 novembre 1811 : à onze heures du soir, onze serveurs présentèrent onze plats et onze portos aux onze membres de l'Association. Depuis 1814, les dirigeants des firmes anglaises partagent un déjeuner rituel à la Factory House, chaque mercredi. Pourquoi le troisième jour de la semaine ? Parce que, jadis, aucun bateau venu d'Angleterre n'accostait ce jour-là.

Toujours interdite aux femmes, qui peuvent toutefois s'y retrouver, depuis peu, lors d'un déjeuner annuel organisé le dernier mercredi de juin, la Factory House constitue un lieu de

La Factory House à Porto. Dans ce temple très fermé du négoce anglais, le service et la dégustation du porto obéissent à un rituel pluriséculaire.

Ci-dessous : exposées à la Factory House, des carafes de cristal, dans lesquelles le porto développe ses arômes et ses saveurs.

Page précédente : la salle mauresque de la Bourse du commerce, au décor inspiré par l'Alhambra de Grenade.

*L'Institut du vin de Porto.
Dans cette bibliothèque, on
consulte les innombrables
textes qui régissent la
production, l'élevage et la
commercialisation du
porto.*

relations publiques, non de commerce.
L'association regroupe aujourd'hui onze
firmes. Elle exclut toujours les marques non
anglaises, mais admet les Portugais à titre de
visiteurs individuels. Son trésorier change tous
les ans. Les nouveaux membres fournissent
douze caisses de douze bouteilles à leur
entrée. Ces flacons puisés à la meilleure
source enrichissent ainsi la grandiose cave
commune dont les vieux tawnies et les vintages historiques alimentent les dîners et les
fêtes donnés, entre autres, en l'honneur d'importateurs étrangers. Cinq employés perma-
nents, deux auxiliaires et quelques extras
assurent le bon fonctionnement de cette
luxueuse bâtisse, que l'on visite comme un
musée vivant.

Au fond du hall, un vaste escalier de pierre
dessert les trois étages. On traverse des pièces
cosy décorées de boiseries. Le salon des Cartes
rassemble des relevés d'Europe, d'Afrique,
des Amériques, d'Espagne, du Portugal, éta-
blis en 1836. La bibliothèque regroupe
300 000 livres traitant d'explorations, d'architecture, de littérature, ainsi qu'une collection
du *Times*, de 1790 à 1982. Le vaisselier du
salon des Visites renferme un service de por-
celaine de Staffordshire de 1836, toujours utilisé lors des réceptions. En face, sur une
console, trône le vase employé lors de l'élection de nouveaux membres, encore empli des

*Un dignitaire
de la confrérie du
vin de Porto.*

haricots noirs et blancs qui font office de bulletins. La vaste salle de bal au parquet luisant comporte, à mi-hauteur, une loggia réservée à l'orchestre. Les femmes se préparaient dans le salon des Dames. Il y a encore vingt ans, des couturières y procédaient aux ultimes retouches.

Deux pièces en enfilade constituent le cadre du rituel inventé par les Anglais pour déguster le porto. D'abord, la salle à manger, murs beiges, moquette verte, vaisselle verte. Les convives se servent eux-mêmes de poisson, de viande, de pâtisseries, dans les plats disposés sur la table ou des dessertes. On boit ici des tawnies, plus ou moins âgés. Les vintages sont proposés dans la pièce d'à côté, la salle des Desserts, lors des soirées de gala. Murs rouges, vaisselle rouge, bougies parfumées, table d'acajou capable de recevoir quarante-six convives. Serviette en main, après le dîner, chacun d'entre eux reprend une place identique à celle qu'il occupait dans la salle à manger. On savoure alors, avec du stilton ou du fromage de brebis portugais, de grandioses vintages que l'on épice de propos libertins. Bien entendu, l'architecte avait installé les cuisines à l'étage supérieur, afin qu'aucune odeur de cuisine ne vînt troubler la jouissance des dîneurs.

Le palais de la Bourse se trouve de l'autre côté de la place Infante D. Henrique, rua Ferreira Borges. C'est le siège de la Chambre de commerce de Porto. La confrérie du vin de Porto intronise ses nouveaux membres dans ce vaste bâtiment construit en 1834 à l'emplacement de l'ancien couvent de São Francisco. Une grande salle centrale carrée, des fenêtres de granite, des boiseries sombres. Des fresques et des candélabres dessinés par Soares dos Reis ornent l'escalier qui mène à la galerie dominant la salle d'audience du tribunal de commerce, de style Renaissance française. Au premier étage, sur la gauche, s'ouvre le salon Arabe, pastiche de l'Alhambra de Grenade, de forme ovale, décoré dans des tonalités

Le café Majestic à Porto.

blanches, bleues et dorées, de stucs et de vitraux mauresques. La confrérie du vin de Porto organise dans cette salle les dîners spectaculaires concluant les chapitres au cours desquels elle accueille en son sein de nouveaux membres, importateurs ou restaurateurs, parrainés par les négociants.

L'Institut du vin de Porto se situe juste quelques mètres plus haut, dans la même rue en pente. Un grand bâtiment de granite. Derrière la porte d'entrée, dans le hall, une pombaline datée de 1758, stèle qui marquait les limites du vignoble du Douro, rappelle l'ancienneté de l'appellation. Dans les étages s'alignent les bureaux aux boiseries sombres où se pensent et s'organisent la production et la législation du porto. Au rez-de-chaussée, un laboratoire, une salle de dégustation. Toute la production du Douro est analysée et goûtée ici, par une équipe de sept dégustateurs triés sur le volet.

À l'écart du centre ville, vers l'ouest, rua de Entre Quintas, le Solar do Vinho do Porto, annexe de l'Institut de vin de Porto, jouxte le musée Romantique, joli manoir reconstituant le décor bourgeois du siècle dernier, que l'on visitera au cours dc la même promenade. On y accède par une cour noyée sous une végétation

L'ail, instrument de défoulement pendant la nuit de la Saint-Jean. Les habitants de Porto, tête d'ail en main, frappent le chef de leurs voisins ou supérieurs, inversant ainsi, pour quelques heures, les rôles sociaux.

luxuriante, où coule une fraîche fontaine. Une belle maison de deux étages aux balcons ouvragés. Le jardin de curé, roses, buis, fuschias, fontaine octogonale animée d'un jet d'eau, donne sur l'embouchure du Douro, le pont Arrabida, le village d'Afurada. À l'intérieur, bar, canapés et fauteuils de cuir, tapisseries murales représentant des scènes de viticulture. On peut goûter ici les portos de toutes les marques.

Le premier bar à vins de Porto est ouvert depuis février 1997, rua São João de Brito, à l'ouest de la ville. Les frères Nicolau de Almeida y proposent, servis au verre avec des tapas, environ cinq cents vins de tous pays : portos, crus rouges et blancs du Portugal, de France, d'Australie, d'Afrique du Sud...

PORTO EN FÊTE : LA SAINT-JEAN

La grande affaire de l'été, à Porto, c'est la fête de la Saint-Jean, le 24 juin, héritière d'une célébration païenne du solstice d'été. Pendant la nuit du 23 au 24, un vent de folie souffle sur la ville. Les habitants se préparent depuis des semaines à honorer leur saint patron. Il y a longtemps, déjà, que, dans chaque quartier du Porto médiéval, ils répètent des chants et des danses traditionnels. Ils fleurissent et décorent les autels, les oratoires, les statues. Des enceintes acoustiques s'empilent en murailles noires aux carrefours et sur les places. Des estrades métalliques enrobées de toile verte attendent les orchestres qui joueront jusqu'à l'aube. Sur les trottoirs, devant les maisons, on installe des barbecues où l'on fera griller, au charbon de bois, des sardines et des côtes de porc. Les bonbonnes et les caisses de vin s'étalent au pied des maisons.

Le soir, des centaines de milliers de personnes envahissent les deux villes. « Même les pickpockets font la fête », dit-on ici. Tout Porto est dehors. Hommes, femmes, enfants. Une foule dense et pacifique, amicale et familiale, envahit les rues, bloque la circulation. Le vinho verde, le porto et le rosé coulent à flots. Porto et Gaia deviennent un immense espace piétonnier, ondoyant et sautillant. Le pont D. Luís I vibre sous le pas des danseurs qui circulent d'une rive à l'autre, chantant, tapant dans leurs mains. Des farandoles s'élancent dans les rues. Chacun frappe ses voisins à la tête d'un coup de marteau-jouet en plastique coloré, héritier des têtes d'ail manipulées naguère, et que l'on vend encore, rangées en tas hirsutes à l'entrée des cafés, sur les trottoirs. Cette nuit-là, tout est permis. Les hiérarchies s'abolissent. Comme lors des saturnales de l'Antiquité, les rôles sociaux s'inversent. Les employés frappent leur patron de l'ail ou du marteau. Mais, après ce fugace exutoire, chacun retrouvera sa place. Le lendemain, tard dans l'après-midi, le tunnel qui mène du pont D. Luís I au vieux Porto retentira longtemps des chants fatigués des fêtards qui rentrent chez eux, tête d'ail défraîchie à la main.

À minuit, un feu d'artifice tiré des hauteurs des deux villes embrase les collines et le pont D. Luís I. Des rafales d'explosions rebondissent en écho, sur les quais, les églises et les maisons. Des chandelles romaines jaunes et bleues, des comètes et des bombes scintillantes s'élèvent, des cascades et des soleils dorés illuminent le tablier du pont de fer. Partout, les habitants lancent vers le ciel de minuscules montgolfières gonflées d'un air

chaud que produit la combustion d'une petite réserve d'alcool solidifié. La plupart des globes s'enflamment en pleine ascension, et meurent, carbonisés, avant de toucher l'eau. D'autres descendent en tournoyant lentement vers les spectateurs qui admirent le spectacle au milieu du fleuve, à bord d'une flottille de bateaux de promenade, verre de ruby en main. Poussées par le vent, les sphères de papier traversent parfois le fleuve, au-delà même des chais de la rive gauche. Cette nuit-là, tout Gaia veille. Dans les chais, on déroule les lances à incendie. La nuit de la Saint-Jean est l'occasion d'opérations de relations publiques pour le négoce qui reçoit des hôtes de toute l'Europe.

La traditionnelle course des *rabelos* se déroule le lendemain matin. Elle est organisée depuis 1981 par la confrérie du vin de Porto, émanation du négoce. Vers dix heures, les passagers embarquent en face des chais de Gaia. On mène à dos d'homme ceux qui craignent de se mouiller les pieds. Le soleil éclaircit les eaux grises. Des barques à moteur tirent les dix-sept *rabelos* vers l'océan. On s'installe. Mi-Batman, mi-Bretons, cape grenat et chapeau noir à

Lors des fêtes de la Saint-Jean, à Porto et Gaia, un feu d'artifice embrase le Douro et les deux villes.

Un groupe folklorique venu du Minho anime les fêtes de la Saint-Jean.

larges bords, les membres de la confrérie portent leur tenue de parade. À bord du bateau Ferreira, les employés de la firme, équipage d'un jour, disposent des bouteilles de vin, du pain et du jambon sec sur une table de fortune. Bonne humeur. Rires. Une devinette, lancée à l'attention des passagers, acheteurs, importateurs et amis : « À quoi reconnaît-on un touriste étranger d'un touriste portugais ? — Le premier porte un appareil photo, le second, une bonbonne de vin. » Les voiliers s'alignent en deux files parallèles à la langue de sable qui traverse l'estuaire aux trois quarts. Tout autour, en ce jour de fête, le flot bouillonnant des canots à moteur, des chalutiers au mât décoré de pavillons multicolores, des barques de pêcheurs...

Le canon de la marine portugaise tonne à douze heures trente. La course commence. Les équipages hissent les voiles. Les *rabelos* s'élancent sous le pont Arrabida, ballottent, vacillent, filent, paressent. Des stratégies s'élaborent. Des vergues cassent, aussitôt réparées. Les embarcations se frôlent, se dépassent, certaines échouent sur les bancs de sable. D'un bateau à l'autre, on se hèle, on plaisante. La régate s'achève à Gaia face aux chais du négoce, à cinq kilomètres de l'estuaire. Elle a duré trois quarts d'heure. Le vainqueur gagne une coupe en argent. Il conservera le drapeau de la confrérie pendant un an, jusqu'à la prochaine régate. Cette année, le vent a soufflé dans le bon sens. La fête nautique se prolonge par un banquet de vignerons, deux cents convives dans les chais Sandeman, aux accents d'un mini-orchestre. Cette régate s'inscrit dans un mode de vie actif et doux.

L'héritage britannique

Un salon de l'Oporto Golf club, à Espinho. Fondée par les Anglais en 1890, cette institution ne s'est ouverte aux Portugais qu'en 1932.

Un mode de vie largement façonné par les Anglais qui ont dominé Porto, Gaia et le Douro pendant des siècles. En fait, le négoce de Gaia est plutôt d'origine écossaise. Les fondateurs des marques familiales se nomment Cockburn, Dow, Graham, Sandeman, Robertson... « Les Anglais boivent le porto que les Écossais élaborent », a-t-on pu dire. Quoi qu'il en soit, les Britanniques ont longtemps reproduit dans l'embouchure du Douro le mode de vie fermé, colonial, qu'ils ont largement répandu à travers la planète. Insulaires, les Anglais forment une île au Portugal. Le tweed et les chemises, les parfums, la vaisselle et la religion, les clubs, le golf et les bonnes manières, les rituels et l'humour proviennent en ligne droite de Londres et d'Angleterre. Les nouveaux venus fondent des institutions à leur image, qui embrassent tous les aspects de la vie sociale : école, hôpital, église, clubs, plage privée même. Ils se fréquentent et s'épousent surtout entre eux. Ils découvrent les nouvelles du monde et du Portugal dans un *Times* qui arrive de Londres par bateau. Signe d'appartenance à une nationalité et à une classe sociale, ils parlent d'emblée l'anglais avec les non-Britanniques. Ils ignorent parfois volontairement la langue locale, idiome utilitaire qu'ils réservent au commerce avec les « indigènes », dans les chais et les quintas. Une légère distance se manifeste à l'égard des natifs du Portugal. Un intérêt quasi ethnographique pour les coutumes et le tempérament latins. Un gouffre sépare alors la bonne société britannique des habitants de Porto, ces *tripeiros* (« mangeurs de tripes »), qui, au XVe siècle, se contentaient d'abats pour nourriture, réservant la viande transportable aux soldats et marins d'Henri le Navigateur partis à la conquête de Ceuta, sur la côte de l'actuel Maroc.

Aujourd'hui, l'empire britannique a vécu. Après la dernière guerre, les ventes de porto fléchissent, pour remonter dans les années soixante-dix. Les firmes familiales originaires de Grande-Bretagne doivent céder leurs affaires. Sandeman, Croft, Cockburn, Delaforce et quelques autres changent de mains en moins d'un demi-siècle. Le négoce anglais perd peu à peu son hégémonie, au profit des sociétés multinationales qui dominent aujourd'hui le commerce de la bière et des spiritueux. L'hôpital anglais a fermé ses portes. Et tout change, là aussi. De passage ou résidents, quelque huit cent vingt Britanniques habitent Porto ou la région. Ils travaillent dans les banques, l'industrie, le vin. Certains possèdent une double nationalité. *Low profil*: « profil bas », telle est, plus que jamais, la règle. Mieux intégrée, la nouvelle génération du porto anglais tend à se fondre dans le paysage portugais. Elle s'irrite parfois, avec flegme, à l'évocation des anciennes façons isolationnistes et domina-

La famille Symington dirige toujours le premier groupe exportateur de porto.

trices ou de l'hostilité que la communauté britannique continue à susciter parmi les Portugais. Les mariages avec ces derniers semblent plus nombreux que jadis. Ils instaurent des alliances entre des familles du négoce. Se dessine ainsi un réseau de cousinage, qui favorise les influences réciproques et les bonnes relations d'affaires.

Trilingue, parfois quadrilingue, le nouveau négoce parle bien entendu le portugais et aussi le français, langue utile pour commercer avec un pays qui consomme 30 % de la production du Douro. Chose nouvelle, on s'adresse souvent aux visiteurs étrangers dans leur langue maternelle. Mais on continue à envoyer ses enfants dans les collèges anglais après la sixième, par respect de la tradition ou par défiance à l'égard de l'enseignement

*Fernando de Almeida, président de l'*Oporto Golf club *de 1967 à 1975.*

public portugais, dont la réputation a longtemps été médiocre. Écoutons ce négociant anglais décrire la vie de ses concitoyens : « Les Britanniques habitent autour de Porto, et pas nécessairement à Foz, le quartier réservé aux gens riches. Ils aiment les vieilles maisons portugaises et les grands jardins. Ils vivent comme les Portugais, jouent au tennis et au squash, s'occupent des enfants. Ils passent les week-ends dans les quintas. Ils font du ski nautique sur le Douro, à Pinhão et à Tua, tout comme les Portugais, qui pratiquent de plus en plus ce sport. Les disparités entre le mode de vie des Anglais et celui des Portugais se réduisent ». Certes, mais le pouvoir symbolique du modèle anglais demeure intact.

Car, côté portugais, règne une ambivalence puissante. Fascination et rejet. Le modèle anglais est d'autant plus agissant qu'il est dénié. Le négoce portugais fustige à toute occasion l'attitude passée de son homologue britannique : « C'était du colonialisme pur et simple, selon le schéma classique : l'achat à vil prix d'une matière première que l'on embouteillait et revendait à Londres, sans véritable profit pour le pays d'origine ». Mais dans le même temps, il s'inspire des us et coutumes de la communauté britannique. La bourgeoisie et une large partie du négoce de Porto

La salle à manger de la maison Taylor à Gaia. Stucs, colonnades, meubles chantournés, tapis douillets : l'Angleterre au Portugal.

endossent avec une discrète jouissance le mode de vie britannique. On affectionne le bon tweed, le bon cachemire, le bon whisky. On manifeste parfois une manière de snobisme que tempère l'heureux caractère portugais. On s'ingénie à adhérer au club anglais, marque d'appartenance et de prestige nécessaire à qui veut évoluer dans la bonne société de Porto, milieu fermé, replié sur lui-même. Comme dans le plus petit village, chacun vit sous le regard de l'autre : « Je connais la moitié de la ville et l'autre moitié me connaît », résume un négociant.

UNE ODEUR DE GAZON FRAÎCHEMENT COUPÉ

Le club anglais ? Difficile d'imaginer plus britannique que ce *Oporto cricket and lawn tennis club*, situé sur les hauteurs de Porto, rua do Campo Alegre, dans le quartier chic de la ville,

sur un terrain de deux hectares. Dans le hall d'une maison claire et moderne, le membre du club qui vient dîner inscrit son nom et celui de ses invités dans un registre posé sur un lutrin de bois scellé dans le mur. Des salons, une salle à manger, des chambres. Des vitrines garnies de coupes gagnées à l'occasion des tournois de cricket et de tennis qui animent la vie du club. Un bar cossu où luisent les bouteilles de chaque firme adhérente. À l'extérieur, une piscine, six courts de tennis, un barbecue, un terrain de cricket et de football. Une terrasse meublée de petites tables, de chaises, de parasols. Le travail achevé, vers dix-neuf heures, le gotha de Porto, négociants, avocats, banquiers et diplomates, s'y affiche, papote et s'y régale de whisky, dans une odeur de gazon fraîchement coupé.

L'actuel *Oporto cricket and lawn tennis club* résulte d'une fusion entre deux clubs, opérée en 1965. Il réunit l'institution originelle, fondée en 1855, notamment par des négociants, établie dans une ancienne maison de religieuses du vieux Porto, et un second club, créé en 1909, lui aussi situé dans la ville médiévale. Ce club privé est une société avec parts. Un budget annuel de 120 millions d'escudos, vingt-cinq employés à plein temps, trois à mi-temps. Chacun des quatre cents membres acquitte un droit d'entrée de 250 000 escudos (s'il est seul) ou de 350 000 escudos (pour un couple) et verse chaque année une cotisation de 80 000 à 115 000 escudos. La cravate est obligatoire, – on en prête une à ceux qui arrivent le col ouvert –, sauf le week-end et depuis peu, le vendredi soir, afin d'attirer au bar et au restaurant un public plus large, moins guindé.

Pendant plus d'un siècle, l'*Oporto cricket and lawn tennis club* n'admet que des sujets de Sa Majesté. Vers 1965, il commence à s'ouvrir aux autres nationalités. Il rassemble aujourd'hui 180 Portugais, 180 Anglais et 40 adhérents originaires d'autres pays. Il fonctionne sur le principe du numerus clausus. Règle absolue : la parité entre Britanniques et Portugais. Tout sujet du Royaume-Uni s'installant à Porto est membre de droit. Restent donc 180 places à répartir entre les natifs du Portugal. Deux membres anglais doivent parrainer le candidat. Et bien entendu, une place doit être libre. Les postulants s'inscrivent donc sur la liste d'attente, longue comme le Douro. Dès qu'un adhérent cesse d'appartenir au club, le premier de la liste est admis. Sauf, bien sûr, si le fils ou la fille d'un associé désire adhérer... L'aventure peut durer vingt ans ou n'aboutir jamais. Mais l'ap-

partenance au cénacle le plus glorieux de Porto vaut bien une patience infinie.

Autre cercle très prestigieux, le club des Portuenses (habitants de Porto) fait pendant à celui des Anglais. Fondé en 1857, il a son siège dans un hôtel particulier du Porto médiéval, non loin de la Factory House. Tout aussi ritualisé que l'Oporto Club, il s'avère plus luxueux que celui-ci, avec un côté « vieux Portugal », lustres de cristal, meubles noirs, tapis épais, toilettes de marbre presque aussi somptueuses que celles du château d'Yquem, mais combien plus vastes... Cette institution, qui fonctionne avec vingt-cinq employés et un budget annuel d'environ 105 millions d'escudos, accueille les seuls Portugais. Depuis une dizaine d'années,

Ci-dessus et ci-contre : Porto, le Club des Portuenses. Cette institution portugaise fondée en 1857 rassemble aujourd'hui 1 400 membres, tous Portugais, qui fréquentent la salle de jeu, la bibliothèque, le restaurant.

*L'Oporto Golf club
à Espinho. Un dix-huit
trous battu par le vent de
l'Atlantique. C'est le golf
le plus ancien et le plus
important de la péninsule
Ibérique.*

les femmes peuvent y venir seules. Auparavant, un homme « mari ou amant », précisait-on, devait nécessairement accompagner les dames qui fréquentaient, entre amies, la spacieuse salle de restaurant aux boiseries sombres, aux vastes tables recouvertes de nappes blanches brodées et de verrerie étincelante. Les hommes, eux, vaquent dans la bibliothèque, consultent le *Diario de Noticias* ou *Le Monde* dans la salle de lecture, s'affrontent au bridge dans la salle de jeu, pétunent dans les couloirs. Le club des Portuenses regroupe 1 400 membres, notamment des négociants, qui représentent 7 % de l'exportation du porto. Pas de numerus clausus chez les Portuenses, société ouverte. Outre le parrainage, l'admission requiert le vote d'un comité de 29 membres, qui utilisent pour ce scrutin des boules blanches et des boules noires. Le postulant doit recueillir 75 % de sphères blanches pour être autorisé à acquitter 300 000 escudos de droit d'entrée, et 36 000 escudos de cotisation annuelle. Chaque année, le deuxième samedi de janvier, le club organise un bal des Débutantes qui conforte la bourgeoisie de Porto.

Autre institution locale, l'école anglaise, fondée en 1894, manifeste à sa façon l'anglomanie contradictoire de la bourgeoisie de Porto. Il y a vingt ans, l'Instituto Cultural Britanico do Porto n'instruisait que des Anglais, dans les grands bâtiments blancs aux fenêtres vert bouteille de la rue da Cerca, à Foz do Douro, non loin de la jetée aux colonnades jaunes. Mais aujourd'hui, les jeunes Britanniques représentent seulement 20 % des 230 élèves, filles et garçons en chandail bleu marine et cravate-club, contre 20 % d'autres nationalités et 60 % de Portugais. Ces derniers suivent jusqu'à la fin du secondaire une scolarité qu'abandonnent après la sixième leurs condisciples britanniques qui s'en vont poursuivre leurs études dans des collèges et universités anglais. Cet établissement privé, qui emploie une vingtaine de professeurs, vit de ses fonds propres, d'où une scolarité coûteuse : environ 1,2 million d'escudos par an.

L'école allemande accueille, entre autres, les enfants de la colonie allemande, quelque 680 personnes, qui, dans le domaine du porto, se limitent à la famille Burmester. Cet établissement moderne est en partie financé par l'État fédéral qui paie les salaires d'enseignants ravis de travailler au Portugal, où ils jouissent du soleil et de traitements avantageux. En raison de ces subventions, les frais de scolarité sont ici quatre fois inférieurs à ceux de l'école anglaise : environ 310 000 escudos par an. Située juste derrière le club anglais, l'école de la rue Guerra Junqueira, à Foz, mène 650 élèves du jardin d'enfants aux baccalauréats allemand et portugais. Les deux enfants de Dirk van der Niepoort ont fréquenté cette institution bilingue, qui enseigne aussi le français et l'anglais ; elle jouit d'une excellente réputation. Seuls 18 % des élèves sont originaires d'Outre-Rhin, alors que 74 % des effectifs sont Portugais. Pour le reste, les Allemands épousent des Portugaises, fréquentent les Anglais pour le travail, les Portugais, pendant les loisirs, et passent en général leurs week-ends à Moledo do Minho, un village côtier dans le nord du pays, loin de la circulation infernale et des plages polluées de Porto.

Le Tout-Négoce se retrouve aussi au golf de Porto, au bord de l'Atlantique. Un joli dix-huit trous battu par les vents, établi à Espinho, dans une banlieue si lointaine et si touffue que même les taxis doivent interroger les passants à plusieurs reprises pour trouver leur chemin parmi les zones industrielles, les entrepôts, les impasses et les routes en réfection. L'*Oporto Golf club* est le plus ancien et le plus vaste de la péninsule Ibérique, le quatrième, en importance, de l'Europe continentale. Il fonctionne avec une vingtaine de salariés et un budget annuel d'environ 75 millions d'escudos. Un bar intimiste. Une salle de restaurant vaste et claire. Fondé en 1890, par un Anglais, Charles-Neville Skeffington, le club rassemble aujourd'hui quelque six cents membres, issus du négoce et des professions libérales. Chacun d'entre eux paye 600 000 escudos de droit d'entrée et 150 000 escudos de cotisation annuelle, à condition d'avoir été élu par un comité d'admission composé du président du club et de onze membres. Bien sûr, d'origine anglaise, le golf n'admit pendant longtemps que des Britanniques. Aujourd'hui, pour les golfeurs portugais, l'ouverture progressive aux autres nationalités prend l'allure d'une conquête, réparant peu ou prou une injustice originelle. Elle tempère la frustration et l'irritation endémiques que la bourgeoisie de Porto manifeste à l'égard d'institutions fondées par des étrangers, qui dictent le convenable et l'inconvenant, le beau et le laid, le noble et l'ignoble. « Il a fallu attendre 1932 pour que les Portugais soient admis au golf. Quant au pre-

mier président portugais, il a été élu trente-trois ans plus tard, en 1965. Depuis l'origine du club, un tournoi a été disputé ici tous les ans, sans interruption, même pendant les guerres, alors que les autres golfs d'Europe fermaient leurs portes. »

La vie à Porto, décrite du côté portugais, par Acacio Manuel Poças ? « Ce qui compte pour nous, c'est la vie de famille. De bien vivre. Nous aimons le contact avec les autres, avec la nature. La mer, c'est très important. » Les habitants de Porto et de Gaia aiment la vie, le vin, les plats savoureux, la musique, la fête. En fin de semaine, ils pêchent à la ligne dans le Douro, excursionnent en bateau sur le fleuve, tapent dans une balle sur un green, ou font du jogging sur les quais de Gaia. Ils vont à la plage, pratiquent le voilier et la planche à voile. Le négoce reçoit ses invités dans les quintas du Douro. Une vie diverse et simple, tranquille, paisible, en somme agréable, qui s'écoule sans heurts, comme le Douro sous le pont D. Luís I.

La quinta de Malvedos à Tua. Fleuron de Graham, ce luxueux domaine accueille les invités et les membres de la famille Symington, propriétaire de la firme.

Le futur
de Porto

Pochoirs de la maison Dow. Ces plaques en cuivre servent à marquer les caisses de porto avant expédition.

L'avenir ? Il est d'abord immobile. L'adhésion du Portugal à l'Union européenne ne bouleverse guère les exportations de porto. Avant comme après 1986, la France consomme 30 % de la production du Douro. En revanche, la faculté nouvelle d'exporter les vins directement du vignoble pourrait transformer, au moins en partie, la fonction de Gaia. Car l'entrepôt est exigu, malgré ses 1 000 hectares, et le prix des terrains exorbitant. D'où l'idée naissante d'installer chais et sièges sociaux dans un Douro désormais bien irrigué par deux voies rapides et une autoroute. Une telle migration des entreprises prendrait des années. Les chais de Gaia, vitrine historique du négoce, deviendraient alors une manière de musée, voué au tourisme et aux relations publiques.

Plus culturel : la perspective de voir un jour le vignoble et les chais inscrits sur la liste du Patrimoine mondial de l'UNESCO, à l'instar du centre historique de Porto, classé depuis décembre 1996. La ville de Gaia devrait prochainement demander le classement de l'entrepôt. L'Institut du vin de Porto et l'Association commerciale de Porto souhaitent une semblable protection pour le vignoble. Porto et Gaia, soulignent ces organismes, n'auraient pu se développer sans l'activité du Douro, producteur d'un vin unique. Et aussi l'un des plus beaux vignobles du monde.

Les chais de Cockburn. Véritable monuments historiques, les chais de Gaia pourraient être classés Patrimoine mondial par l'Unesco.

L'alchimie
du porto

Aux origines du porto, une ruse de l'histoire

Azulejos de la gare de Vargellas, portant la marque Taylor.

Double page précédente : Verre et carafe (ici chez Sandeman) : tout un art de vivre est associé au porto.

« Merci, Colbert ». Chaque matin, les négociants de Porto devraient brûler un cierge en hommage au ministre de Louis XIV, en l'église São Francisco. Sans le protectionnisme de Colbert, en effet, le vin qui sourdait des montagnes torrides du Douro depuis des siècles serait sans doute demeuré en l'état. Un vin rouge de pays chaud : alcooleux, grossier, tannique et pataud.

Mais en 1667, Colbert taxe vigoureusement les produits anglais importés en France. Représailles immédiates de Charles II, roi d'Angleterre, qui bannit des tables britanniques les *clarets*, bordeaux élégants et fruités dont l'aristocratie insulaire se régale. Dorénavant, décide aussi le souverain, ses sujets se contenteront des crus du Portugal, vieil allié du royaume. Les amateurs, qui froncent le nez à l'idée d'ingurgiter des vins rouges de plomb, adhèrent à la décision royale par patriotisme. Boire portugais s'érige ainsi en un impératif catégorique. Le négoce se mobilise. Les marchands de Plymouth, Liverpool, Londres partent à la recherche d'ersatz de bordeaux pour flatter les gosiers anglais. L'exploration du vignoble du Douro, à cent kilomètres à l'est de Porto, commence.

En 1678, les deux fils d'un négociant de Liverpool font le voyage de cette région reculée du nord du Portugal. En route vers Lamego, ils séjournent dans un monastère. Le prieur les traite avec faste. Il leur sert d'abondance un vin rouge enrichi d'eau-de-vie de la région de Pinhão. L'ayant goûté, ils achètent tout le vin disponible alentour. De retour à Porto, les deux hommes ajoutent une large mesure de brandy à leur trouvaille, qu'ils expédient en Angleterre par bateau. Ainsi conforté, le vin du Douro parvient indemne sur les tables anglaises. Il existe une variante de cette histoire de la naissance du porto. Rond et doux, le rouge servi dans le Douro aux deux explorateurs aurait été muté : instruit par un prêtre espagnol, le vinificateur aurait ajouté de l'eau-de-vie au moût en fermentation ; une partie du sucre du raisin aurait ainsi perduré dans le vin.

Quoi qu'il en soit, la douane de Porto enregistre en cette année 1678 la première exportation de « vin de Porto » (408 pipes, fûts locaux d'une capacité de 550 litres, soit environ 2 240 hectolitres) qui apparaît ainsi dans le langage et le commerce. Sec, ce vin n'a pas encore les caractères du porto actuel, riche en sucre, mais la future gourmandise des Britanniques est déjà sur les rails. La fortification des vins du Douro, simple adjonction d'eau-de-vie aux vins finis, a en effet une triple conséquence. Le futur porto résiste au transport maritime. Il vieillit mieux et plus longtemps. Puissant et capiteux, il satisfait le goût des Anglais d'alors pour les boissons fortes. Ceux-ci, comme l'Europe tout entière à l'époque, levaient gaillardement le coude. Quand la folie du porto submergera les clubs de Londres et l'aristocratie, des *three bottles men*, voire des *six bottles men* avaleront leurs trois ou six flacons quotidiens sans faiblir.

Le porto tel que nous le connaissons aujourd'hui s'affirme avec les progrès du mutage, technique maîtrisée à partir de 1820. Le procédé anglo-portugais du XVIIᵉ siècle semble d'ailleurs la résurgence d'une invention déjà faite à une époque ou en un lieu différents, comme il advient souvent dans l'histoire des sciences et des techniques. Au XIIIᵉ siècle, en effet, Arnau de Vilanova, médecin et régent de l'université de Montpellier, avait découvert

le mariage de la « liqueur de raisin et de son eau-de-vie ».
Au fil de l'histoire, l'assommoir rustique du Douro s'affine. Il bénéficie du progrès des vinificateurs et du travail des négociants et devient l'un des vins les plus fastueux du monde, complexe, flamboyant, sophistiqué, d'une longévité époustouflante. En cette fin de siècle, le Douro produit bon an mal an 740 000 hectolitres de porto, ce qui représente en valeur le quart environ des exportations alimentaires du Portugal. Moderne, convivial, ce vin a su s'adapter à des modes renouvelés de consommation : si les Anglais savourent depuis des siècles leurs vieux tawnies après le dessert, avec un fromage, dans les cafés de Porto et Gaia, on boit aujourd'hui le porto blanc allongé de Schweppes. Et, à New York, les nouveaux amateurs mêlent les saveurs fruitées d'un vintage aux volutes épicées d'un cigare de La Havane. Étonnant destin d'un épais vin rouge du Douro métamorphosé en porto. Conçu par les Anglais, l'un des rares crus inventés hors de France, avec le tokay et le xérès.

Ci-dessus : Porto à l'époque des rabelos.

Ci-contre : presque une pièce de musée : une vieille bouteille de la quinta do Vesuvio, propriété alors de la maison Ferreira.

Le Douro,

pionnier des appellations

contrôlées

Défenseur intransigeant du porto, le marquis de Pombal contrôla le commerce du vin et fit délimiter le vignoble du Douro.

Ci-dessus, à droite : à la quinta Nova, une des pombalines, bornes plantées sur ordre du marquis de Pombal pour délimiter le vignoble du Douro.

Ci-contre : marque d'authenticité, le cachet de l'Institut du vin de Porto recouvre le goulot des portos embouteillés à Gaia ou dans le Douro.

Aujourd'hui comme hier, les raisins qui donnent naissance au porto sont récoltés à l'est de Porto, dans la vallée du Douro. Ce fleuve noir, sinueux, large depuis l'édification de neuf barrages hydro-électriques, s'étire sur 852 kilomètres, de l'Espagne à l'Atlantique. À l'ouest, la Serra do Marão (1415 mètres) protège la zone délimitée de l'humidité atlantique. Le vignoble s'élève de 40 à 650 mètres d'ouest en est. Il commence à 100 kilomètres en amont de Porto, aux environs de Barqueiros et s'achève à Mazouco, à proximité de la frontière espagnole. Il s'articule en trois grandes parties, qui diffèrent par la géologie, et plus encore par le climat : le Baixo Corgo (Bas-Corgo ou Bas-Douro), zone fertile, au climat océanique ; le Cima Corgo (Haut-Corgo ou Haut-Douro), pays beaucoup plus sec, au climat combinant les influences océaniques et méditerranéennes, et le Douro Superior (Douro Supérieur), région desséchée, quasi déserte, au climat de type méditerranéen. Partout, les terrasses s'étagent en amphithéâtres le long des courbes de niveau. Elles forment le mode de culture le plus répandu dans le Douro, qu'elles soient de type traditionnel (avec murets), moderne (sans murets), ou en talus (*patamarès*). Plus rarement, les vignes sont plantées dans le sens de la pente, dispositif récent promis à un grand avenir puisqu'il permet de mécaniser les labours, les traitements, les façons culturales. Les meilleurs portos naissent de sols schisteux, issus des terrasses vertigineuses du Haut-

Douro, ou des collines callypiges du Douro Supérieur, encore peu exploité, terre de mission pour les investisseurs.

La singularité du Douro ? Un cadastre recense et classe toutes les vignes de la région en douze catégories selon des critères qualitatifs. Une situation unique dans le monde viticole, qui se borne généralement à établir pour l'essentiel des relevés géologiques et topographiques. Ce travail monumental a été réalisé en deux temps. La première étape, entamée dès le XVIIIe siècle, a permis de délimiter la région de production du porto. On la doit au ministre Sebastião José de Carvalho e Melo, marquis de Pombal, reconstructeur de Lisbonne après le tremblement de terre de 1755, agacé par l'hégémonie commerciale britannique. En 1756, ce despote éclairé, doublé d'un patriote ombrageux, lance l'opération de bornage, qui s'achèvera en 1761. Pombal vise deux objectifs : défendre l'authenticité du porto contre les fraudes qui, succès oblige, font florès et aboutissent à une mévente sans précédent au milieu du XVIIIe siècle ; préserver la qualité d'un produit agricole coûteux, destiné pour l'essentiel à l'exportation, et donc bénéfique à la balance commerciale du Portugal. Au cours de la délimitation, les meilleurs terroirs sont distingués. Trois cent cinquante-cinq *pombalines*, hautes bornes de

Vendanges dans le Douro, autrefois. Le synthétiseur et la boîte à rythme n'avaient pas encore remplacé la guitare, le tambourin et l'accordéon.

granite en forme de stèle, gravées ou imprimées du mot *feitoria*, matérialisent la zone de production, traçant ainsi les limites du comptoir *(feitora)* de Porto où sont élaborés les crus dignes d'exportation. Près de deux siècles avant la création des AOC en France (1935), une manière d'appellation d'origine voit ainsi le jour.

Le classement proprement dit, deuxième étape, fut réalisé de 1937 à 1945 par huit « brigades cadastrales » de la Casa do Douro, association regroupant les viticulteurs de la région, chacune composée d'un technicien, d'un ampélographe, et de deux compteurs. Aujourd'hui constamment réactualisé en fonction des nouvelles plantations ou des arrachages, le cadastre du Douro décrit avec une précision inouïe les 84 000 parcelles de la région, indiquant leurs cépages, leur sol et leur climat. Les vignes sont réparties entre douze catégories hiérarchisées, de A à L. Seules les parcelles classées de A à F donnent un raisin apte à la production du porto. Ce système fournit ainsi une image exacte des milliers d'expositions, de terroirs, et de microclimats qu'engendre la géographie cahotique du Douro.

FIXER LES PRIX

La classification des vignes détermine bien entendu le prix du raisin, variable selon les lettres et les années. Ainsi, une pipe issue de 750 kilogrammes de raisin – soit 435 litres de moût que l'on enrichira de 115 litres d'alcool pour produire 550 litres de porto – sera cédée à 152 500 escudos (environ 5 083 francs) si elle provient de vignes A et B, à 142 000 escudos (4 733 francs) si elle est issue de vignes C

LE DOURO : TROIS VIGNOBLES, 84 000 PARCELLES, PRÈS DE 40 000 HECTARES

Le vignoble qui donne naissance au porto est situé le long du Douro et de ses affluents. Les principaux sont, sur la rive droite, le Sabor, le Tua, le Pinhão, le Corgo ; sur la rive gauche, le Côa, le Teja, le Torto, le Távora, le Tedo. La zone délimitée couvre 250 000 hectares. Une superficie considérable, à comparer aux 112 000 hectares du Bordelais, le plus vaste vignoble français d'AOC mais, à la différence de ce dernier, encore peu exploitée. La surface plantée, 39 901 hectares, ne représente que 15,6 % de la zone délimitée.

TROIS SOUS-RÉGIONS DIVERSEMENT EXPLOITÉES

Le vignoble est divisé en 84 000 parcelles. La plus petite ne couvre que 0,30 hectare, la surface moyenne étant de 0,80 hectare. L'implantation des vignes varie dans chaque sous-ensemble du Douro. Dans le Bas-Douro, pour 45 000 hectares délimités, 13 841 sont plantés, soit 30,7 % de la surface classée. Dans le Haut-Douro, en revanche, les 17 905 hectares plantés ne représentent que 17,9 % de la surface délimitée (95 000 hectares). Quant au Douro Supérieur, il est encore peu exploité, avec seulement 8 155 hectares plantés sur les 110 000 hectares classés (0,7 % de la surface délimitée). Les vignes sont plantées à raison de 3 500 à 6 000 pieds par hectare. Le rendement ne doit pas excéder 55 hl/ha. Seules les vignes âgées au moins de cinq ans peuvent produire du porto.

Vendanges du temps jadis sur des terrasses à murets, à la quinta da Soalheira.

LES PARCELLES DU DOURO : UN SYSTÈME COMPLEXE DE CLASSIFICATION

À la suite d'un travail d'expertise qui s'est prolongé durant près de vingt ans, de 1937 à 1945, la qualité des parcelles peut être évaluée avec une extrême précision, grâce à un système complexe de classification. Celui-ci fait appel à trois critères principaux : climat, cépage et terrain, par ordre décroissant d'importance, chacun de ces éléments d'appréciation étant décomposé en différents paramètres (quatorze en tout). Chaque paramètre est affecté d'un certain coefficient, traduit en pourcentage.

- L'examen des cépages compte pour 30,4 % de l'ensemble. Il comprend le mode de culture (11,8 %), le type de cépage (8,8 %), la productivité, comptée pour un tiers de la productivité totale (6,6 %), l'âge de la vigne (1,3 %), l'espacement des ceps (1,9 %).

- L'appréciation du terrain (25,8 % de l'ensemble) envisage sa nature, schisteuse ou non (13,7 %), l'inclinaison de la pente (3,9 %), la présence de rocaille (1,6 %), la productivité, pour un second tiers (6,6 %).

- Les facteurs climatiques (43,6 % de l'ensemble) sont l'altitude (20,6 %), la localisation (12,7 %), la productivité pour un troisième tiers (6,6 %), l'exposition (2,5 %), la protection contre le vent (1,2 %).

Le total n'atteint pas 100 %, mais 99,9 %, car le paramètre de la productivité a été réparti sur les trois différents critères.

Chaque paramètre reçoit une note, exprimée en points. Le nombre de points, ou « ponctuation », assigné à chaque parcelle résulte d'une différence entre des points positifs (par exemple, présence importante de schiste) et des points négatifs (par exemple, mauvaise exposition). Ce total détermine la position des vignes sur une échelle qui descend de A à L.

Seules les six classes supérieures, de A à F, produisent les raisins destinés au porto. Les vignes des catégories A et B fournissent en principe les meilleures grappes. Celles de la catégorie F, les moins bonnes. Au-dessous de 200 points (classe F), les vignes donnent des vins secs et non du porto.

et D et à 132 000 escudos (4 400 francs) si les raisins ont été récoltés dans des parcelles E et F. Si l'on achète du vin au lieu de raisin, les contraintes économiques de la classification s'allègent. L'acheteur goûte le vin et l'analyse. Car un vin issu de terres A peut être de qualité discutable, et un vin issu de terres C se révéler excellent. À l'est de Porto, la vendange se négocie d'homme à homme. Pas de tarif imposé par la profession. Seulement un accord de gré à gré, fondé sur le prix indicatif établi par le Comité interprofessionnel de la région délimitée du Douro (CIRDD), presque toujours revu à la hausse. Nul contrat écrit, une simple transaction verbale. Le vendeur et l'acheteur scellent l'entente en se tapant dans la main. Les viticulteurs commercialisent leur vendange sous forme de raisin, de moût ou de vin fini. Le paiement s'effectue par l'intermédiaire de la Casa do Douro, qui enregistre toutes les transactions, afin de garantir les règlements. Le raisin est payé au plus tard le 31 décembre qui suit la récolte. Le moût est réglé en trois fois : 40 % à la vendange, 40 % à la fin du mois de janvier, 20 % au 31 mars – dans ce cas le négoce fournit l'eau-de-vie du mutage. Le vin est soldé le 15 janvier.

À qualité suivie, et toutes choses égales, chaque négociant achète en principe chaque année chez les mêmes fournisseurs, dont le nombre atteint parfois mille cinq cents. Une façon d'assurer une fourniture régulière tout en maintenant le niveau de vie et les conditions de production des viticulteurs. Ceux-ci vendent généralement tous les ans aux mêmes firmes. S'ils refusent, les maisons peuvent ces-

ser d'acheter l'année suivante, par mesure de rétorsion. Lorsqu'un négociant désire acquérir les raisins du fournisseur d'un concurrent, l'affaire se déroule plutôt entre les deux acheteurs. Bien sûr, le Douro bruisse de sombres histoires. Tel négociant, arme en poche, faisant respecter ses engagements à tel viticulteur qui menace de céder sa récolte à un autre, pour contraindre son acheteur habituel à augmenter ses prix. Ou encore, tel négociant payant les raisins 30 % plus cher que ses concurrents, afin de s'attacher les services de tel vigneron d'élite, ou qui possède des vignes bien placées.

Traitement de la vigne à la quinta do Bonfim, près de Pinhão.

Ci-dessous : un vieux vintage dans son flacon.

Double page suivante : paysage des environs de Peso da Régua. Partie occidentale du vignoble, le Bas-Douro est fertile et verdoyant.

LES CÉPAGES : LES CINQ GRANDS DU DOURO

Le Douro est une extraordinaire réserve ampélographique. On y recense environ quatre-vingt-dix variétés indigènes à jus blanc, blanches ou rouges. Depuis l'origine du vignoble, les vignes sont cultivées en complantation, toutes variétés mêlées. Cette pratique s'est poursuivie même après les dévastations du phylloxéra (1868). Aujourd'hui, on effectue le plus souvent les nouvelles plantations et les replantations cépage par cépage, en adaptant les variétés aux terroirs et aux altitudes qui leur conviennent.

Il existe deux techniques de plantation. La première consiste en une greffe à deux temps. On plante d'abord le porte-greffe. Pendant un an, la vigne américaine s'enracine ; elle s'acclimate au sol pauvre, à la canicule du Douro. On insère ensuite le greffon européen dans une fente pratiquée sur le porte-greffe, une tâche délicate, accomplie par les femmes. Ce procédé présente un inconvénient majeur : tous les plants ne produisent pas en même temps, certaines greffes ne prenant pas. La seconde technique, qui fait appel à des plants greffés, est plus rapide et plus sûre. Et aussi plus économique : l'investissement est réalisé en une seule fois, et la vigne tout entière donne du porto cinq ans après la plantation. Pour l'heure, les plants greffés proviennent encore massivement de France, même si les pépiniéristes portugais commencent à en produire.

Comme tant d'autres vignobles réglementés en Europe, le vignoble du Douro comporte des cépages autorisés et des cépages recommandés. Pour les premiers, on devrait plutôt employer l'adjectif « tolérés », car la plantation des seconds, qui produisent des vins de meilleure qualité, est largement encouragée. Les variétés autorisées ne peuvent excéder 40 % de l'encépagement total.

Trois cépages vedettes du Douro : tinta barroca (en haut à gauche), touriga francesa (en haut à droite), tinta roriz (en bas à droite).

LES CÉPAGES DU DOURO

Les cépages utilisés pour la production du porto sont classés en deux catégories : les variétés autorisées et les variétés recommandées. Les premières ne peuvent excéder 40 % de l'encépagement. Les secondes sont réparties en deux groupes. Les variétés du premier groupe représentent au minimum 60 % de l'encépagement ; celles du second groupe, 40 % au maximum.
• Quatorze cépages blancs recommandés. Minimum 60 % : esgana cão, folgasão, gouveio (verdelho), malvasia fina, rabigato, viosinho. Maximum 40 % : arinto, boal, cercial, côdega, malvasia corada, moscatel galego, donzelinho branco, samarrinho.
• Quinze cépages rouges recommandés. Minimum 60 % : bastardo, mourisco tinto, tinta amarela, tinta barroca, tinta francisca, tinta roriz, tinto cão, touriga francesa, touriga nacional. Maximum 40 % : cornifesto, donzelinho, malvasia, periquita, rufete, tinta barca.

Cinq cépages vedettes émergent du lot des plants recommandés : touriga nacional, touriga francesa, tinta roriz, tinta barroca, tinto cão. Ces variétés rouges de haute qualité donnent les meilleurs vins, à la fois tanniques, fruités, équilibrés. Aussi les plante-t-on en priorité. Dix ans de microvinifications expérimentales et de dégustations réalisées dans le cadre du Centre national d'études viticoles par João Nicolau de Almeida, vinificateur de la maison Ramos-Pinto, ont permis d'en cerner les caractéristiques.

Touriga nacional (synonymes : amaral, tourigão, touriga fêmea, touriga macho, nacional, preto mortagua). Il s'agit d'une variété indigène. Fertile, facilement affecté par la coulure et l'oïdium, très sensible à l'excoriose, ce cépage craint moins le mildiou et la pourriture. Il donne des vins superbes, au nez intense et complexe associant mûre, framboise, cassis, violette, ciste, gibier et mousse, au palais fin, savoureux, tannique, fruité, harmonieux et bien structuré. C'est le plus coté

des cépages recommandés. Sa très haute qualité lui permet d'être vinifié en monocépage.

Touriga francesa. Malgré son nom, c'est une variété indigène, sans rapport avec les cépages français. Sensible à l'oïdium, moins au mildiou et à la pourriture, elle s'adapte à tous les terrains, mais elle requiert des sols chauds pour obtenir le degré alcoolique nécessaire au porto. Elle produit des vins de forte intensité aromatique à dominante florale (rose, ciste), tanniques, de bonne structure. D'une qualité inférieure au barroca et au roriz, elle est destinée aux assemblages.

Tinta roriz (synonymes : tempranillo, tinta monteiro, tinta aragonesa). C'est la seule tinta exogène. Elle est sujette à l'oïdium, au mildiou, à l'acariose, moins à l'excoriose et à la pourriture. Adapté à tous les terrains, ce cépage est favorisé par les sols riches et craint les carences en minéraux. Il engendre des vins rouges au nez puissant mais simple – à dominante boisée et herbacée, marqué dans les bonnes années par le ciste et la framboise –, à la bouche vive, agressive, aux tanins épais et puissants. Sa force, sa nervosité, son intensité aromatique vouent le tinta roriz aux assemblages.

Touriga nacional : cette variété de haute qualité est parfois vinifiée en monocépage.

Tinta barroca (synonymes : boca de mina, tinta grossa, tinta vigario, tinta gorda). Ce cépage est surtout conseillé dans le Bas-Douro et pour les pentes exposées au nord. Sensible à l'oïdium, au mildiou, il est moins affecté par la pourriture et l'excoriose. Il produit des rouges parfumés où se mêlent framboise, cassis, mûre, violette, ciste, mousse et notes animales ; des vins tanniques, fins, harmonieux, complets. Une variété assez riche pour être utilisée en monocépage.

*Travaux de liage à la
quinta Dona Matilde.*

*Ci-dessous : dans
un chai de Rozès, un
tawny de vingt ans
en cours d'élevage.*

*Page suivante : les vignes
de Chanceleiros,
pittoresque composition
graphique.*

Tinto cão (ou farmento). Cette variété indigène très ancienne est apparue dans le sud du Portugal au XVIIIe siècle. Sensible à l'oïdium, ce cépage est moins sujet au mildiou, à l'excoriose et à la pourriture. Il est déconseillé dans les lieux chauds, car le moût est sensible à l'oxydation. Les vins qui en sont issus se distinguent par leur intensité aromatique (avec des nuances de poivre dans les zones chaudes, et des notes florales dans les terroirs plus frais) et s'affinent en vieillissant. Peu colorés, frais, secs, de structure légère mais équilibrée, ils se révèlent au bout de cinq ans.

UN VIGNOBLE DE VITICULTEURS

Le Douro est pour l'essentiel un vignoble de viticulteurs, de producteurs de raisins, et non de vignerons, élaborateurs et embouteilleurs de vins issus de leur vendange. On compte quelque 34 000 récoltants et 23 coopératives. Ces producteurs vendent tout ou partie de leur récolte aux 68 négociants du Douro, qui ont, pour la plupart, installé leurs chais à Vila Nova de Gaia, face à Porto. Quelques coopératives exportent cependant elles-mêmes leurs vins. Les négociants de Gaia, qui ont monopolisé l'exportation du porto jusqu'en 1986, élaborent des vins d'assemblage à partir de raisins, de moûts ou de vins choisis aux quatre coins de la région productrice. Technique chère au négoce, soucieux de proposer un produit constant à sa clientèle, l'assemblage constitue une formidable dénégation du terroir. Le porto s'incarne dans sa quasi-totalité en 1 150 marques commerciales au style réputé spécifique et pérenne (Taylor, Ferreira, Barros, etc.). Les domaines tels que la quinta do Infantado, la quinta do Noval, la quinta do Castelinho ou la quinta do Crasto, qui vinifient et vendent des *single quinta ports* issus de leur seule récolte, ne sont qu'une poignée.

LE « BENEFICIO » OU LE PARTAGE DU VIN

En France, le propriétaire d'une vigne dans l'AOC meursault, par exemple, peut dormir tranquille. Il en tire du meursault tous les ans, pour peu qu'il respecte la réglementation. Dans le Douro, en revanche, le volume de porto varie tous les ans par rapport à la récolte globale. Celle-ci est scindée en deux. D'un côté, le volume qui, une fois muté, deviendra du porto. Cette part de la vendange est affectée d'une sorte de droit au mutage, le *beneficio* (« bénéfice ») ainsi nommé parce que le vin bénéficie de l'ajout d'eau-de-vie. De l'autre côté, le solde de la vendange, non muté, qui demeurera un vin sec, le VQPRD Douro. La finalité de ce partage du vin ? Ajuster l'offre à la demande, éviter ainsi des fluctuations, pléthore ou pénurie, également dommageables à la viticulture comme au négoce. Le Comité interprofessionnel de la région délimitée du Douro (CIRDD), organisme officiel qui regroupe des représentants du négoce, de la viticulture et de l'Institut du vin de Porto, détermine l'ampleur du *beneficio* à l'estimation de la récolte, en prenant en compte les ventes, les stocks, l'évolution des marchés national et international – on captera bientôt le pollen des vignes au printemps et on évaluera ainsi l'importance de la future production. Le volume global de futur porto ainsi défini est ensuite réparti entre les différentes classes de vignes. Ainsi, par exemple, telle année, les vignes A et B produiront à 40% du porto ; C et D, à 45 % ; E, à 8% ; F, à 7 %.

Du raisin
au porto

*Les vendanges, autrefois.
Les paniers sont vidés
dans un lagar.*

*Ci-dessous : Quinta
de Boa Vista. Du matériel
moderne pour traiter
la vendange.*

*Page suivante : quinta
do Seixo. Réception de
la vendange, acheminée
dans de vastes caisses
métalliques.*

LA VINIFICATION :
EXTRAIRE LA COULEUR
ET LES TANINS

Les vendanges se déroulent dans le courant de septembre et d'octobre. Dans le Douro Supérieur, région précoce, elles commencent une semaine à quinze jours avant le Haut-Douro et le Bas-Douro. Dans des conditions pénibles, parfois acrobatiques, les vendangeurs escaladent les terrasses taillées dans le schiste. Cueillis à la main, les raisins parviennent au chai dans les traditionnelles hottes de 60 kilogrammes en bois tressé et, de plus en plus souvent, dans des caisses en plastique de 20 kilogrammes, percées de trous qui laissent s'écouler le jus des baies écrasées, limitant ainsi les risques d'acidité volatile. Ils sont triés, les grains pourris éliminés. On égrappe tout ou partie de la récolte qui fermente sous l'action de levures indigènes, exceptionnellement avec des levures sélectionnées.

Dans le Douro, les raisins mûrissent à l'envi grâce à des températures estivales élevées et à un ensoleillement généreux. Le haut degré naturel des moûts (14 ou 15 degrés dans les vignobles bien exposés) exclut toute chaptalisation. Cet ajout de sucre s'avérerait d'ailleurs incompatible avec l'élaboration de vins doux de qualité. Comme les autres vins de liqueur, les portos ne font pas non plus de fermentation malolactique. L'adjonction d'eau-de-vie au moût annihile en effet les bactéries qui pourraient transformer l'acide malique en acide lactique.

Le mode de vinification du Douro varie selon la structure de plantation des vignes, traditionnelles (plantées en foule), ou modernes (monocépage). La première méthode, le « pot-au-feu », consiste à faire fermenter ensemble tous les cépages atteignant le même degré de maturité. Elle est généralement utilisée lorsque la vendange provient d'une vigne traditionnelle, mêlant différentes variétés. C'est la plus répandue, puisque la quasi-totalité des parcelles du Douro sont de ce type. Mais dans une vigne hétérogène, on peut aussi récolter un à un chaque cépage, comme le demandent parfois certains négociants exigeants. Cela augmente évidemment la durée et le prix de la récolte.

La seconde méthode est appliquée lorsque la vendange est issue d'une vigne moderne, plantée d'une seule variété. La fermentation se déroule alors cépage par cépage, à la mode

*Les lagares imposants de
la quinta da Pacheca.*

bordelaise. Quoique minoritaire, ce procédé se répand depuis que les quintas, suivant les instructions de l'Institut du vin de Porto (IVP), créent des vignes homogènes, comportant un seul des cinq cépages indigènes hautement recommandés : tinta barroca, tinta roriz, tinto cão, touriga francesa et touriga nacional. La différence entre les deux techniques ? Les partisans du « pot-au-feu » estiment que le mélange des raisins au cours de la fermentation donne des vins plus complexes ;

les adeptes des fermentations séparées arguent de la souplesse du procédé et de la précision des assemblages qu'il permet de réaliser.

Saisi d'une fièvre moderniste, Porto rattrape depuis quelques années son retard technologique. Le matériel évolue. Les vinificateurs emploient toutes sortes de cuves : des lagares, cuves de granite basses et rectangulaires utilisées dans le Douro depuis toujours, parfaitement adaptées à l'élaboration du porto ; des récipients en bois, en acier inoxydable, ou encore en béton ; parmi ces derniers, les fameuses cuves autovinifiantes locales, très répandues dans le Douro. L'astucieux mécanisme qui équipe ces récipients cubiques se sert de la pression du gaz carbonique dégagé par la fermentation alcoolique pour effectuer des remontages automatiques. Dernière évolution technologique en date : des cuves en acier inoxydable qui tendent à reproduire le rapport marc-jus des lagares. Elles sont ramassées, à peine plus hautes que larges, moins élancées que leurs homologues du Bordelais, de la Loire ou de la vallée du Rhône, ce qui favorise le contact du moût avec l'oxygène pendant la fermentation. D'où une extraction rapide des composants des raisins noirs à jus blanc (pigments, polyphénols, tanins...) qui migrent ainsi de la pellicule du raisin dans le jus, donnant aux vins couleur, arômes et corps.

Archaïque, utilisé depuis la nuit des temps, le lagar (« pressoir » ; pluriel : *lagares* ; on mène aussi les olives au *lagar*) constitue, malgré sa rusticité, le mode d'extraction et de vinification le plus efficace et le plus sophistiqué. Foulée aux pieds, la vendange effectue sa fermentation alcoolique dans un vaste parallélépipède trapu (70 centimètres de haut) qui contient de 16 à 20 pipes de 550 litres de moût (88 à 110 hectolitres environ). Le foulage mobilise en général deux vendangeurs par pipe de moût, hommes ou femmes. Cette opération longue et pénible commence le soir, vers vingt heures, au terme de huit à neuf heures d'une cueillette épuisante. Elle se prolonge jusqu'à minuit et se déroule en deux temps.

Le premier foulage, la *corta* (« coupe »), dure quatre heures. Il comporte deux phases distinctes. La première s'étale sur deux heures. Disposés en deux ou trois rangs parallèles dans les lagares, les vendangeurs se tiennent aux épaules. Le genou haut levé, ils piétinent les grappes d'avant en arrière et vice-versa,

d'un côté à l'autre de la cuve, selon un rythme et de lents mouvements scandés à haute voix par le responsable du foulage, l'*encarregado*. Une phase de *liberdade* succède à cette période « militaire » : pendant deux heures, les vendangeurs foulent le moût à leur gré dans la cuve de granite. La fermentation alcoolique est en cours, plus ou moins rapide selon la température du chai et des raisins. Le moût repose ensuite jusqu'au lendemain matin.

Le jour suivant, on travaille le moût une seconde fois, afin que la masse pâteuse surmontée d'un chapeau de rafles et de peaux (*manta*) parvienne à la fois au degré alcoolique (6-9 degrés) et à la quantité de sucre résiduel requis. Cette opération de *mexa* (« mélange ») s'opère avec le *macaco* (« macaque »), manche de bois hérissé à sa base de bâtonnets perpendiculaires. Les vendangeurs arpentent des planches disposées sur le haut des lagares, vrillant les *macacos* dans le moût d'un puissant mouvement vertical. S'ensuit le décuvage, puis le mutage.

L'avantage des lagares est décisif. Leur vaste surface expose à l'air une grande quantité de moût, d'où le diligent travail des levures, micro-organismes aérobies. L'aération due au brassage du moût par les jambes et les pieds favorise encore la fermentation. Puissant, doux au raisin, le pied des hommes écrase la

Le travail dans les lagares, autrefois (à droite) et aujourd'hui (à gauche). Archaïque et sophistiqué, efficace mais épuisant, le foulage accélère l'extraction des composants du raisin. La musique accompagne la deuxième phase de cette opération, durant laquelle chacun foule à son gré.

vendange en souplesse. Dans la cuve, les lents mouvements de translation ne négligent aucune grappe, aucun grain. Les pépins, que le pied ne broie pas, demeurent indemnes, évitant ainsi la transmission de goûts amers.

L'extraction des tanins et des pigments est rapide. Un point capital car la fermentation alcoolique du porto, nécessairement écourtée afin d'emprisonner une part du sucre du raisin, dure seulement deux à trois jours, contre une semaine environ dans le cas des vins rouges secs. Le point noir des lagares reste leur coût. La vinification dans les cuves de granite revient de cinq à six fois plus cher que l'élaboration en cuve. Aussi, cette pratique est-elle aujourd'hui en voie de marginalisation dans le Douro ; les vinificateurs la réservent plutôt à la confection des vintages, portos les plus prestigieux, même si certains domaines, comme la quinta do Panascal (Fonseca), vinifient aussi des types plus courants – rubies, tawnies, LBV – dans ces récipients traditionnels. De rares négociants ont totalement abandonné les lagares. Ils ne remarquent, disent-ils, aucune différence gustative entre les portos issus des cuves de granite et ceux élaborés en cuve, à rebours de la majorité de la profession.

Moût au repos dans les lagares. Pour le porto, la fermentation ne dure que deux ou trois jours, contre une semaine dans le cas des vins rouges secs.
En haut : quinta do Ventozelo. Le lendemain du foulage, les vendangeurs travaillent le moût avec des macacos.

D'autres élaborateurs, utilisateurs de cuves, pratiquent des remontages, comme dans le Bordelais : ils prélèvent du moût au bas de la cuve et en arrosent le chapeau constitué des pellicules remontées à la surface ; ils ont également recours à des cuves à pigeage automatique à vérins, comme dans la vallée de la Loire. D'autres encore, attachés aux lagares, recherchent des solutions pour mécaniser·ce procédé traditionnel et abaisser son coût. Ainsi, la quinta do Noval, tente-t-elle – après d'autres – de mettre au point des robots pigeurs adaptés aux lagares. Le dernier en date est fait de plaques d'acier inoxydable trouées, montées au bas de vérins guidés par des longerons d'acier ; elles circulent de long en large au-dessus des cuves de granite. Elles s'abaissent et remontent, reproduisant ainsi, autant que possible, le foulage traditionnel. Pour tester la machine, Christian Seely, le directeur, a divisé une récolte en deux. Les vendangeurs ont foulé aux pieds la première moitié. Le robot d'acier s'est chargé de la seconde moitié. Aucune différence gustative, affirme-t-on chez Noval, qui a décidé, en outre, de ne pas faire breveter son invention, afin de permettre à tous les producteurs de l'exploiter au moindre coût. Cependant, l'idée même d'un robot pigeur adapté aux lagares laisse sceptiques nombre de vinificateurs.

Christian Seely, directeur
de la quinta do Noval.

LE MUTAGE : MARIER LE VIN ET L'EAU-DE-VIE

Le porto est un vin de liqueur, muté en cours de fermentation. Le mutage donne de la douceur au vin en laissant subsister une quantité plus ou moins importante de sucre résiduel. Un tel résultat est obtenu en inhibant les levures responsables de la fermentation alcoolique par l'adjonction d'eau-de-vie à 77 % vol. dans le moût. Les micro-organismes cessent alors de transformer en alcool et en gaz carbonique le sucre des raisins, qui, dans les vins secs, disparaît totalement. Le mutage se distingue du simple ajout d'alcool au vin sec achevé, dont il accroît simplement le volume alcoolique et l'onctuosité. Les vins de liqueur réalisés par mutage (en France, les vins doux naturels : banyuls, maury, rivesaltes, etc.) diffèrent aussi des mistelles comme le vermouth, dans lesquelles, ajoutée au moût avant la fermentation même, l'eau-de-vie interdit toute transformation du sucre naturel en alcool. On ne confondra pas non plus les vins de liqueur avec les blancs moelleux et liquoreux (sauternes, alsace vendanges tardives, coteaux-du-layon, etc.). Dans le cas des vins blancs doux, l'arrêt de la fermentation exclut en principe tout apport extérieur d'alcool. Il résulte de l'action même des levures qui transforment le sucre en alcool. À partir de 14 degrés, ce dernier inhibe ces micro-organismes. On peut aussi, procédé moins élégant, souvent réservé aux vins de seconde zone, dilués ou immatures, inhiber les levures avec de l'anhydride sulfureux (SO_2). On peut encore réfrigérer et filtrer le moût.

L'acier inoxydable, gage
d'hygiène.

L'eau-de-vie de vin destinée au mutage provient massivement de France. Depuis 1986, date de l'adhésion du Portugal à la CEE, la Casa do Douro a perdu le monopole du commerce de l'alcool. Le négoce et les viticulteurs l'acquièrent désormais auprès des fournisseurs de leur choix (210 à 240 escudos le litre, soit 7 à 8 francs). Ils en confient des échantillons à l'Institut du vin de Porto, pour contrôle. Ce dernier vérifie la qualité de l'eau-de-vie, en effectuant notamment des examens par chromatographie en phase gazeuse et résonance magnétique nucléaire. Si l'alcool est conforme, l'IVP autorise son utilisation dans les limites du volume déclaré.

Le mutage du porto est une opération capitale. La finesse, l'équilibre, le fruité des vins dépendent de cet acte délicat. Le moment où l'on ajoute l'alcool vinique au moût dépend du type de vin recherché. Le mutage sera précoce, si le vinificateur désire produire un porto très doux, plus tardif, s'il veut obtenir un vin moins riche en sucre. Généralement, on inhibe les levures au début de la fermentation, lorsque le moût atteint 6 à 7 degrés d'alcool. Ainsi, par exemple, il faut 115 litres d'alcool à 76/80 % vol. pour muter 435 litres de moût. L'ensemble représente la contenance d'une pipe de 550 litres. Le mutage d'une récolte de 130 000 pipes (715 000 hectolitres) de moût nécessite environ 150 000 hectolitres d'eau-de-vie. Une fois muté, le porto titre de 19 à 20 % vol. Il repose en cuve jusqu'en janvier. On le soutire. On élimine des lies. C'est le moment de le rectifier, si besoin est, d'accroître sa richesse alcoolique, en ajoutant au maximum 15 litres d'eau-de-vie vinique à une pipe de 550 litres. Cet ajustement, la *lota*, varie selon le degré alcoolique acquis au cours du mutage. Ce dernier, bien sûr, n'améliore en rien la qualité du vin de base. Il ne peut qu'en sublimer les qualités natives, l'arrondir, diminuer son acidité, etc. Étique, pauvre en tanins à la récolte, le vin

Du haut des immenses cuves de la quinta do Seixo, on découvre un panorama envoûtant sur le Douro.

ALCOOL, EAU-DE-VIE :
UNE QUESTION VOLATILE

L'eau-de-vie à 77 % vol. destinée au mutage du porto est un distillat de vin, composé d'éthanol et d'« impuretés » (esthers, acétate d'éthyle, butanol 2, etc.). Distillat d'un résidu, l'eau-de-vie de marc possède des arômes et des saveurs trop prégnants pour servir au mutage. Jusqu'à 85 % vol., un distillat de vin demeure une eau-de-vie. Au-delà, il devient un alcool. Un alcool d'au moins 91,5 % vol. a été rectifié, distillé une seconde fois dans une colonne de distillation spécifique, afin d'éliminer les impuretés qui l'éloignent de l'éthanol pur.

Cet alcool « neutre » peut atteindre 96 % vol. ; il contient alors moins de 280 g/hl d'éléments volatils étrangers à l'éthanol. En France, les vignerons du Roussillon l'utilisent pour le mutage des vins doux naturels (banyuls, rivesaltes, maury, etc.). Plus un alcool est neutre, moins il contient de non-alcool (23 % dans l'eau-de-vie à 77 % vol., 4 % dans l'alcool à 96 % vol. rectifié), impuretés qui impriment leur marque au vin muté.

On peut aussi confectionner de l'alcool avec des betteraves, des mélasses, des pommes de terre, du grain, du bois. L'alcool le plus proche de l'éthanol pur est extrait du pétrole, notamment en Arabie Saoudite. « Il n'y a aucune différence, gustative ou chimique, entre un alcool rectifié d'origine pétrolière et un alcool rectifié d'origine vinique », précise Alain Mahmoudi, œnologue, distillateur à Labastide Saint-Pierre, à côté de Toulouse. Néanmoins, le Douro coulera sans doute encore longtemps entre Vila Nova de Gaia et Porto avant que l'on mute le porto avec un distillat de pétrole !

La dégustation comparative permet de déceler les qualités des vins.

En haut : soutirage du vin à la quinta do Noval.

rouge sera déséquilibré, mou et plat, pour l'éternité. C'est le cas d'une majorité de portos « standards », hélas massivement consommés à l'apéritif dans les familles françaises.

Simple dans sa conception, l'art du mutage réside dans l'exécution. On recense dans le Douro trois grands procédés d'inhibition des levures. Le premier consiste à verser le moût sur l'alcool. On répand le futur porto dans une cuve contenant déjà de l'alcool et l'on homogénéise le tout. Inconvénient majeur : l'alcool à 77 % vol. brûle des sucres, détruit peu ou prou les arômes du vin, même si seuls les premiers litres de liquide pâtissent du contact brutal avec l'eau-de-vie. Dans le deuxième procédé, on fait l'inverse : doucement, progressivement, on arrose le moût contenu dans la cuve avec une sorte de pomme d'arrosoir. Artisanale, douce, lente, cette technique donne d'excellents résultats. Troisième procédé : le mélange. Un mélangeur, petite cuve rectangulaire en acier inoxydable équipée d'une pompe, reçoit d'une part, le vin, et d'autre part, l'alcool. Le tout barbote de concert, puis le mélange est pompé dans une cuve, opération réalisée d'abord avec le vin de goutte, puis avec le vin de presse, qui s'abouchent dans la cuve. Rapide, respectueux du raisin, ce dispositif combine douceur et efficacité. Il semble avoir la préférence des vinificateurs. Encore minoritaire dans le Douro, le mélangeur est surtout utilisé par les grandes quintas.

Pourquoi muter le porto avec de l'eau-de-vie vinique à 77 % vol. ? Celle-ci contribue-t-elle à la typicité du porto ? L'eau-de-vie à 77 % vol., en effet, comporte 23 % de non-alcool, contenant de l'eau et des « impuretés », selon le langage des distillateurs, qui marquent plus ou moins le vin muté. Les vignerons du Roussillon, pour leur part, emploient de l'alcool neutre à 96 % vol., rectifié. Comprenant seulement 4 % de non-alcool, ce distillat apporte au vin moins d'éléments exogènes. Il respecte ainsi davantage le fruit du raisin, qui, bien sûr, évolue en vieillissant. Pourquoi donc utiliser de l'eau-de-vie vinique, plutôt que de l'alcool rectifié à 96 % vol., voire de l'alcool de betterave, ou issu d'une autre matière première, également rectifié ? À ces interrogations, les gens de Gaia et du Douro fournissent quatre types de réponse, sans se prononcer avec certitude.

Certains invoquent la tradition. Explication mystérieuse. La tradition, en effet, est de l'histoire cristallisée, un processus ossifié à un moment de son développement passé. Dans le Douro, comme dans les autres vignobles du monde, la tradition renvoie aux conditions historiques de la viticulture et de la production du vin. À l'époque, les vinificateurs utilisaient ce qu'ils avaient sous la main, sans doute de l'alcool vinique assez grossier. Depuis lors, le porto satisfaisant la clientèle, chacun aurait procédé de même sans trop mettre en question ses procédés.

D'autres émettent l'hypothèse d'une complémentarité entre l'eau-de-vie vinique et le jus de raisin fermenté. Leur origine commune créerait une harmonie gustative et aromatique. Dans de nombreux portos, toutefois, les arômes d'eau-de-vie sautent littéralement au nez, dominant et fardant largement ceux du vin. On invoque, en ce cas, la défaillance technique des élaborateurs, ou bien la qualité des eaux-de-vie utilisées, qui sont loin de toutes se valoir et de respecter les saveurs et les arômes du vin.

D'autres personnes encore affirment que l'on n'a pas encore trouvé mieux. Un argument récusé par un événement fortuit, une histoire édifiante, en vérité. En 1973, la Casa do Douro jouit encore du monopole de l'achat des eaux-de-vie. Elle acquiert à son insu de l'eau-de-vie de pétrole, vraisemblablement originaire des pays de l'Est. Des acheteurs allemands contrôlent les portos mutés avec ce distillat. Ils utilisent la technique fondée sur l'analyse au carbone 14. Surprise : les échantillons dateraient largement d'avant Cro-Magnon. Chose improbable, même compte tenu de la merveilleuse longévité du porto... Scandale. Procès. Le plus drôle ? Personne, à la dégustation, n'avait décelé le distillat de pétrole, le plus neutre des alcools. Si l'alcool de pétrole respecte les arômes et les saveurs du porto, la nécessité de muter les vins avec de l'eau-de-vie vinique semble alors discutable.

Une dernière réponse met en avant le respect de la législation. L'argument renvoie en partie à celui de la tradition, puisque l'Institut du vin de Porto, qui s'en inspire, l'affine et la dynamise.

Cependant, l'aventure du porto continue. Techniciens et dégustateurs s'interrogent. La fin du monopole de la Casa do Douro, qui imposait dans les faits une conception de l'alcool, aiguise la curiosité des vinificateurs. « Depuis ce moment-là, on commence à apprendre l'eau-de-vie », constate un négociant. Dans le secret des laboratoires de l'IVP, on multiplie les expériences sur la nature et le degré des alcools destinés au mutage. En 1994, au cours d'une dégustation triangulaire organisée par l'Institut du vin de Porto, seize goûteurs sur vingt distinguent un porto muté à l'eau-de-vie à 77 % vol. d'un porto muté à l'alcool rectifié à 95 % vol. Parmi ceux qui ont repéré la différence, huit préfèrent le vin muté à l'eau-de-vie, sept le vin muté à l'alcool à 95 % vol. Un seul n'indique aucune préférence. L'avenir est ouvert...

Vila Nova de Gaia, autrefois. Transportées du vignoble à bord de rabelos *qui défiaient les rapides du fleuve, les pipes de vin étaient déchargées sur les quais de Gaia.*

LE VOYAGE DU VIN À VILA NOVA DE GAIA

———

Récolté, vinifié et muté, le porto nouveau doit mûrir. Au printemps, après un hiver passé dans le vignoble, la quasi-totalité des vins prend la route de Vila Nova de Gaia, en train ou en camion-citerne. Destination : les chais d'élevage du négoce, l'« entrepôt » de Gaia. Pourquoi Gaia ? La ville, face à Porto, est construite dans l'estuaire du Douro, voie d'acheminement du porto jusqu'en 1965. Les fûts ont descendu pendant des siècles le fleuve tumultueux scandé de rapides à bord de voiliers à fond plat, les *rabelos.* Proche de l'océan Atlantique, Gaia jouit d'un climat humide et

Page suivante : les chais de Niepoort à Gaia. Dans la pénombre, on ouille les tonneaux pour compenser l'évaporation du vin.

Ci-contre : São Pedro das Aguias est l'une des rares quintas à élever ses portos dans le vignoble, et non à Gaia.

frais qui favorise une maturation lente et régulière des vins.

Une infime partie de la production, environ 2 % de la vendange, est élevée dans les quintas du Douro. Le porto qui en est issu peut être exporté depuis 1986. Et l'est effectivement chez Noval, São Pedro das Aguias, seize autres producteurs et huit coopératives du Douro qui commercialisent eux-mêmes leurs portos. Car, en 1986, Gaia perd le monopole de l'exportation du porto qu'elle détenait depuis 1926. Avant 1986, le vin de liqueur du Douro ne devient un porto qu'autant qu'il s'affine à Gaia. D'où cette situation ubuesque, sans doute unique dans le monde viticole : un vignoble n'a pas le droit d'exporter sa propre production.

Élevés à Gaia ou dans le Douro, les vins nouveaux sont enregistrés, goûtés et répartis en trois grandes catégories par l'IVP, établi à Porto. D'une part, les vins de qualité, dépourvus de défauts. Ils comptent dans le calcul pour la capacité d'exportation annuelle de la firme, qui ne doit pas dépasser le tiers de la production. D'autre part, ceux dont les légères imperfections peuvent être corrigées ; ils comptent aussi dans le quota d'exportation. Enfin, les vins défectueux. Les tares rédhibitoires entraînent une distillation. Les défauts faciles à corriger donnent lieu à des soins, effectués sous le contrôle de l'IVP. Les vins soignés sont assemblés à des vins irréprochables. Si leurs défauts persistent, ils sont distillés.

L'ASSEMBLAGE : LE SEMBLABLE PAR LA DIFFÉRENCE

———

Une fois dans les chais, les portos nouveaux sont travaillés. On les soutire. On rectifie au besoin leur degré alcoolique, à 19 % vol., avec de l'alcool à 77 % vol. Puis on les assemble. Entre eux, si, par exemple, on élabore un

*Dans le laboratoire de
Cálem à Gaia, l'œnologue
Alvaro Van Zeller examine
un porto blanc et un
tawny. À l'arrière-plan,
le pont D. Luís I.*

*Ci-dessous : Gaia,
les chais de Rozès. Sur
le fond des tonneaux,
des inscriptions à la craie
indiquent la nature et
la date des soins apportés
aux vins.*

vintage ou un colheita. À d'autres crus plus âgés, dans le cas d'un ruby ou d'un tawny. Tout comme le champagne, le porto est traditionnellement un vin d'assemblage, non de cru. Le produit final surpasse en principe chacun de ses composants. Pour mesurer ce que le porto doit à l'assemblage, il suffit de comparer, chez Taylor, le vintage issu de la seule quinta de Vargellas au vintage générique, plus soyeux, plus complexe, mais également moins typé que le *single quinta vintage*.

Opération cruciale, l'assemblage mobilise les œnologues et les dirigeants d'une firme. Des techniciens au palais aiguisé comme un rasoir jouent en artistes des centaines de vins dont ils disposent. Tel un peintre, ils combinent les couleurs d'une palette. Ils mêlent les quintas, les années (sauf pour les vins millésimés), les cépages, les régions ; avivent un cru mou avec un cru plus acide ; minorent l'opulence tannique de tel vin grâce à la souplesse de tel autre. L'objectif est double : réaliser, bien sûr, les divers types de porto (ruby, tawny, colheita, vintage, etc.), mais aussi respecter un style précis, le style maison. Ce « goût de marque », bien particulier, distingue entre

elles les différentes firmes. Pour reproduire le semblable au moyen de la différence, les « assembleurs » semblaient indétrônables. Naguère encore s'égrenaient ces dynasties d'hommes de terrain qui savaient leurs terroirs sur le bout de la langue, sans nécessairement connaître tout de la chimie du vin. Ils se transmettaient la mémoire du Douro. Or, évolution inéluctable, les assembleurs cèdent peu à peu la place aux œnologues. Ces derniers débarquent aujourd'hui en force dans les maisons de Gaia, porteurs d'une science jeune et conquérante, à peine cinquantenaire, qui mobilise la chimie, la physique, la microbiologie au service du vin. Le risque ? Croire en la toute-puissance de la technique, comme cela arriva en France voici une dizaine d'années et perdure dans les vignobles du Nouveau Monde. « La technologie va l'emporter sur l'expérience et la connaissance du terroir », déplore un bon connaisseur des choses du porto.

L'assemblage est aussi une question d'échelle. On combine le plus souvent des vins récoltés dans les trois régions du Douro. Plus rarement, on se limite à un seul vignoble ; cette pratique concerne surtout des crus du Haut-Douro ou du Douro Supérieur. Enfin, on peut

limiter l'assemblage aux vins d'une seule quinta ; c'est le cas des producteurs du Douro qui élaborent leur porto, tels Noval, Taylor, Fonseca, Graham, São Pedro das Aguias, etc., dont les portos de *single quinta* et les *single quinta vintages* constituent une manière de réhabilitation du terroir. L'assemblage est à la mesure de la quinta. Vaste dans la quinta do Vesuvio, qui regroupe plus de quatre cents hectares. Réduit chez Noval, dont la Nacional, vigne franche de pied, rebelle au phylloxéra, occupe 2,5 hectares et donne un vintage rarissime, que les amateurs s'arrachent dans les ventes aux enchères.

À la mode depuis que le négoce s'intéresse de plus près au vignoble, les portos de *single quinta* renouent avec la notion de producteur. Car traditionnellement, on peut élaborer du porto sans posséder aucune vigne – ou si peu... Il suffit d'acheter des raisins et de réaliser des assemblages. C'est ainsi que procèdent Rozès et Osborne dans leurs chais.

L'ÉLEVAGE : UNE AFFAIRE DE STYLE

Affinage indispensable, l'élevage prépare le porto à la mise en bouteille. C'est au cours de cette phase, généralement plus longue que pour les vins secs, que les portos finissent d'acquérir leurs arômes et leurs saveurs caractéristiques. En jouant sur la durée de l'élevage et sur le type de contenant, les maîtres de chai créent des styles de portos fort différents les uns des autres.

Les spécialistes distinguent deux grands modes d'élevage : l'élevage en milieu réducteur, qui s'effectue à l'abri de l'air, en bouteilles, et l'élevage en milieu oxydatif qui ménage un contact mesuré de l'oxygène avec le vin. Ce dernier est mené dans des contenants en bois. Avec le temps, ces vins évoluent ; leur couleur, leurs arômes et leur texture se modifient.

UNE QUESTION DE DURÉE ET DE CONTENANT

Une telle évolution marque surtout les vins qui bénéficient d'un long vieillissement. La durée de maturation des blancs et des rubies est relativement courte pour un porto : de deux ou trois ans en moyenne. Ces deux types ne sont pas toujours logés en fût et gardent des caractéristiques de vins jeunes. Le grand œuvre de l'élevage concerne les tawnies et les colheitas (tawnies millésimés). Ces vins d'oxydation, *« from the wood »*, disent les Britanniques, vieillissent en tonneaux, des contenants déjà assagis, patinés, par l'élevage de vins de table ou de jeunes portos. Neuf, le bois maquillerait les vins.

Dans la plupart des firmes, des tonneliers entretiennent et réparent les fûts et les pipes. Ici, les chais de Ferreira.

Les contenances sont variables : immenses foudres contenant parfois plus de mille hectolitres, pipes, ou tonneaux de 220 litres. Ces diverses capacités permettent d'adapter le vieillissement au style de vin recherché. Dans un foudre, la surface de contact entre l'air et le vin par l'intermédiaire du bois (du chêne en général) est proportionnellement inférieure à celle d'une pipe de 550 litres, ce qui entraîne une oxydation plus lente, une prise de bois moins brutale, moins importante, et

João Nicolau de Almeida

une évaporation moindre. Le foudre offre en outre l'avantage de tenir moins de place que les fûts pour une contenance égale. En revanche, s'il recherche une oxydation et une prise de bois rapides, le maître de chai utilise des pipes. D'autres facteurs interviennent dans l'évolution des vins, en particulier les variations thermiques des chais, plus importantes dans le Douro qu'à Gaia.

Au fil des ans, tawnies et colheitas s'affinent. Les arômes et les couleurs changent. Les juvéniles nuances rouge foncé laissent la place à des tons fauve, caramel, orangés. Une série de mots spécifiques à Gaia et au Douro désignent les vins d'oxydation selon leurs robes : rouge sombre, rouge, rouge doré, tawny, tawny clair. L'élevage des tawnies peut durer dix, vingt, quarante ans et parfois plus. À la quinta São Pedro das Aguias, par exemple, un tawny 1937 vieillit toujours dans son tonneau noirci par les ans. « L'élevage est une activité empirique, voire artistique », estime João Nicolau de Almeida. « Je rectifie les vins pendant toute la durée de leur maturation. Je les complète, les rajeunis ou les vieillis avec d'autres vins, puisés dans nos stocks. Juste avant la mise en bouteille, je les rectifie encore. » L'embouteillage intervient lorsque le porto est jugé prêt à la consommation. Dès lors, ses caractères ne varient guère. Son vieillissement peut continuer en bouteille, mais l'essentiel de l'évolution est accompli.

Tout change avec les portos de réduction (vintages, late bottled vintages) qui évoluent en bouteille, comme les bordeaux, les bourgognes, les côtes-du-rhône et autres vins rouges secs. Les pipes remplacent les foudres. Les vintages y séjournent deux ans avant embouteillage. Les LBV, de quatre à six ans. Prêts à boire dès leur embouteillage, ces derniers continuent à mûrir dans leur flacon. Les vintages, en revanche, requièrent une longue maturation en bouteille. On devra patienter au moins dix ans et jusqu'à trente ans, voire davantage, avant de s'en régaler, à la différence des tawnies. Les vintages entament leur évolution à l'abri d'un chai spécial, parfois climatisé, qui maintient une température constante, contrairement aux tawnies, qui évoluent aussi grâce aux variations thermiques des chais. Les tawnies sont bien plus coûteux à produire que les vintages, en raison de la

durée de leur élevage. Un litre de vintage, élevé deux ans, revient environ à 390 escudos (13 francs) ; un litre de tawny de vingt ans, après un séjour de deux décennies en foudre, à environ 850 escudos (28,33 francs).

UNE COMMERCIALISATION PAR TIERS

Reste à commercialiser ces vins, à les exporter selon la « loi du tiers » en vigueur dans le Douro et à Gaia : un tiers seulement des portos peut être vendu chaque année. Les deux tiers restants poursuivent paisiblement leur maturation dans les chais. Le quota annuel de vente comprend un tiers des vins de l'année et un tiers des vins de plus d'un an. Un exemple. Au 31 décembre 1997, un négociant dispose de 100 000 litres de la dernière récolte et de 300 000 litres de vins de plus d'un an. En 1998, il pourra exporter 33 333 litres de 97 et 100 000 litres de vins plus âgés, soit 133 333 litres. Cette mesure permet d'assurer le vieillissement des vins, la protection du revenu des viticulteurs et la régulation du marché qui, tout au long de son histoire, a oscillé entre la surproduction et la rareté.

À chaque type de porto, ses couleurs. On reconnaît ainsi un porto blanc sec, un blanc demi-sec, un tawny vingt ans, un Reserve, un late bottled vintage 92...

Les différents
types de porto

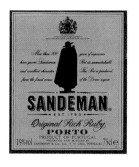

Page suivante : les chais
de Cálem à Gaia. Les vins
mûrissent dans la
pénombre. Selon la
capacité du contenant, le
vin évolue différemment.

L e Douro produit des portos blancs et rouges. Ils titrent en général de 16,5 % vol. à 22 % vol. Après dégustation et agrément par l'IVP, les vins sont répartis en huit catégories légales sous le nom desquelles ils seront vendus : blanc, ruby, vintage charac-ter, tawny, tawny avec mention d'âge, colheita (tawny millésimé), late bottled vintage, vin-tage. Ces catégories sont elles-mêmes regrou-pées en deux ensembles : les portos courants, rubies, tawnies et blancs, qui représentent environ 90 % des ventes ; les catégories spé-ciales : blancs légers secs, vintage character, tawnies avec indication d'âge, tawnies millési-més, late bottled vintages, vintages.

À chaque catégorie de porto sa gamme d'arômes, qui résultent à la fois des raisins uti-lisés et du mode d'élaboration et d'élevage des vins. Celle d'un ruby ou d'un jeune tawny associe mûre, framboise, cerise, cassis, rose, ciste, pin et géranium. Celle d'un tawny avec mention d'âge ou d'un colheita de dix à vingt ans mêle anis, amande, abricot, coing, orange, miel, menthe, cannelle, poivre, résine, vanille. Des notes de caramel, praline, café, cacao, tor-réfaction, vieux bois, tabac, feuille morte,

Ci-contre : Gaia, chais
de Burmester. Couchés
dans l'ombre, les vintages,
portos millésimés,
vieillissent dans un
caveau spécial, parfois
climatisé.

noix, humus marquent les vieux tawnies et les colheitas. La palette aromatique d'un jeune vintage est faite de cassis, mûre, groseille, cerise, fleur de vigne, violette, lavande, ciste, pin et champignon. Un vieux vintage sent le pain, le grillé, le cuir, le chocolat, le thé, le tabac, la boîte à cigares, le vieux chêne et la venaison.

PORTOS ÉLEVÉS EN FÛT

PORTO BLANC. Vin d'assemblage issu de raisins blancs, le porto blanc est élevé deux ou trois ans en fût ou en cuve ; il résulte parfois d'une seule récolte. Certains producteurs pratiquent la macération pré-fermentaire en soulignant l'ancienneté de cette technique puisque, jadis, tous les vins fermentaient en lagares. La dou-ceur des portos blancs varie selon la durée de leur fermentation. On les classe en six catégo-ries, en fonction de leur richesse en sucre rési-duel, exprimée, ici, en grammes par litre. Un blanc léger sec contient moins de 15 grammes de sucre par litre ; un extra sec, de 15 à 30 grammes ; un sec, environ 40 grammes , un mi-doux ou mi-sec, environ 65 grammes ; un doux, environ 90 grammes ; un très doux (lagrima, « larme » en portugais), environ 130 grammes. Souple et fruité, le porto blanc sent les fruits blancs et les épices. À Porto, on le boit le plus souvent à l'apéritif, seul, ou en cocktail avec du tonic.

RUBY. Assemblage de jeunes millésimes, âgés de deux à quatre ans en général, le ruby constitue le bas de gamme des portos. Vineux, velouté, corsé, il séduit par sa puissance, son corps, ses arômes de fruits rouges et noirs.

TAWNY. Baptisé comme le précédent par sa couleur (tawny signifie « rousseâtre » en anglais) ce vin, qui rassemble plusieurs récoltes, est élevé en fût pendant trois à cinq

ans. Les tawnies forment les gros bataillons de l'armée des portos. Cette catégorie offre le pire et le meilleur.

TAWNY AVEC INDICATION D'ÂGE. (10, 20, 30, plus de 40 ans). Il s'agit d'un porto issu de l'assemblage de plusieurs millésimes, élevé en fût jusqu'à son embouteillage. L'âge moyen du vin figure sur l'étiquette. Prêt à boire dès sa mise en bouteille, ce type de tawny est, avec les colheitas, l'un des grands vins oxydatifs du Douro. Une merveille de finesse et d'élégance, avec ses arômes d'épices, de torréfaction, d'orange confite, de café et de noisette.

TAWNY MILLÉSIMÉ (ou colheita). Tawny d'une seule récolte, issu de l'assemblage de plusieurs quintas. Le colheita mûrit au minimum sept ans en fût, jusqu'à l'embouteillage, dont la date figure sur l'étiquette. Il possède des caractéristiques analogues à celles des tawnies avec mention d'âge.

VINTAGE CHARACTER. Assemblage de plusieurs récoltes, élevé trois ou quatre ans en tonneau, le vintage character est surtout consommé en Angleterre. Un nom assez déroutant (il s'appelle aussi « Reserve ») pour un porto non millésimé baptisé « vintage » – ce qui désigne en anglais un vin millésimé –, dont le caractère réside surtout dans son absence de caractère défini. Conscient de l'ambiguïté de cette dénomination et de son aspect fallacieux, le négoce de Porto s'est récemment réuni en conclave. Selon sa décision finale, il importe de ne rien changer, fidélité de la clientèle oblige. L'éclectisme de cette dénomination permet en effet de vendre sous le nom de « vintage character » les portos les plus disparates, façonnés au goût des acheteurs. L'IVP persiste à convaincre les négociants de changer d'avis. On ne trouve pas de grands portos parmi les vintage character.

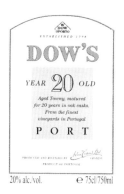

Page précédente : Dans la pénombre, le lent mûrissement des vins.

Outre le nom de la firme et les mentions légales que l'on trouve sur toutes les bouteilles de vins d'appellation, les étiquettes comportent des dénominations (ruby, tawny, vintage, late bottled vintage...) qui désignent des types de porto bien distincts par leur couleur, leurs arômes et leur structure.

Francisco de Olazabal,
à la tête de la firme
Ferreira, déguste un
vintage de la maison.

Caves à vintages
des maisons Sandeman
(ci-contre) et Ferreira
(page suivante). Les
vintages se bonifient en
bouteille et sont aptes à un
très long vieillissement.

GARRAFEIRA PORT. Ce tawny en forme de late bottled vintage est aujourd'hui élaboré par la seule maison Niepoort. D'abord élevé en fût de trois à six ans, le garrafeira évolue dix, vingt, trente ans, voire davantage, dans des bonbonnes de verre avant d'être embouteillé. Simplement tolérée par l'IVP, cette dénomination n'est pas officielle. Elle vaut toutefois d'être mentionnée, car elle s'applique à un tawny d'une extrême finesse, subtil, civilisé.

PORTOS ÉLEVÉS EN BOUTEILLE

VINTAGE. Porto millésimé, assemblage d'une ou de plusieurs quintas, le vintage mûrit deux ans en pipe, avant embouteillage. Il constitue l'un des deux sommets du porto, à l'instar des grands tawnies. Façonné par les Anglais pour leur propre marché, ce vin opulent, grandiose et rare – environ 1 % de la production du Douro – est élaboré seulement trois à quatre fois par décennie, avec une vendange d'une qualité exceptionnelle. Critères : un nez intense de fruits rouges et noirs, une forte concentration, des tanins fins et puissants, capables de résister au temps et à l'eau-de-vie. Au printemps qui suit la récolte, le vinificateur et les œnologues réalisent un assemblage-type,

qui sera remis en question un an plus tard. Sa qualité de vintage sera alors confirmée ou infirmée. Ce sont les maisons elles-mêmes qui décident de millésimer un porto, en fonction de l'idée qu'elles se font du vintage. C'est pourquoi telle firme millésime une récolte quand telle autre préfère une autre vendange. Deux ans après la récolte, le vintage est déclaré à l'IVP, qui l'analyse, suit son évolution, le goûte avant embouteillage et mise en vente. Frais émoulus de la cuve et du fût, les vintages, telle la vérité sortant de l'onde, ne subissent aucune rectification. Ils mûrissent longuement, vingt, quarante, cinquante ans, dans une bouteille noire. Celle-ci porte le nom de la marque, le millésime et l'année d'embouteillage, renseignements traditionnellement peints en blanc au pochoir, aujourd'hui souvent imprimés sur une étiquette. Les vintages, vins non filtrés, forment dans la bouteille un dépôt que l'on élimine par décantation. Une fois ouvert, le colossal vintage devient rapidement le plus anémique des portos. Aussi fugace que l'improvisation d'un musicien de jazz ou le pas d'une danseuse, il doit être savouré dans la journée. Soumis à une brutale oxydation après des décennies de lente évolution à l'abri de l'air, il se dégrade en vingt-quatre heures, à la différence des tawnies, que leur long séjour dans le chêne permet de garder un certain temps après ouverture (de deux à quatre mois).

Il a fallu des siècles pour mettre au point ce vin d'exception. Selon l'historienne Sarah Bradford, le premier « vintage port » naît en 1775, lorsque la bouteille de porto, récipient de verre obturé par un bouchon de liège, est enfin mise au point. Jusqu'au XIXe siècle, le vintage se cherche, d'abord assez éloigné de sa définition contemporaine. Ainsi, dans son *Treatise on the wines of Portugal*, le négociant John Croft explique, en 1788, qu'il garde ses vintages quatre ans en fût, puis deux ans en bouteille, d'où une analogie avec les LBV

d'aujourd'hui. En 1824, A. Henderson note, dans son *History of ancient and modern wines*, que l'apparition des arômes spécifiques du porto suppose de dix à quinze ans de maturation en flacon de verre. Entre ces deux dates, le Tout-Londres s'enflamme pour les vintages, à l'imitation du duc de Wellington et de George Sandeman, qui célèbrent à l'envi les vintages 1775 et 1797. Ces portos étaient sans doute plus secs et moins puissants que les vintages des XIXe et XXe siècles.

Le vintage constitue-t-il le sommet du porto, surpassant même les plus grands tawnies ? Dans un texte publié en 1983 dans le *Financial Times*, le journaliste anglais Nicolas Faith livre une opinion assez hétérodoxe aux yeux de ses compatriotes. Il estime en effet que le vintage est « le plus mauvais et le plus grossier de tous les portos ». Deux ans d'élevage en fût s'avéreraient impuissants à fondre les divers éléments du porto, car l'alcool cesse d'évoluer dès l'embouteillage, quand les autres composants du vin continuent à mûrir. Aujourd'hui, Nicolas Faith tempère ce jugement. « Très lente, l'évolution de l'alcool dans une bouteille peut prendre vingt-cinq ou trente ans. Seule une minorité de vintages sont bons. Mais quand ce type de porto est réussi, il s'agit d'un des plus grands vins rouges du monde. Je préfère personnellement un bon tawny, en dépit du fait que le vintage 63 de Graham, par exemple, soit un monument. »

SINGLE QUINTA VINTAGE D'apparition récente, ce type de vintage provient de la seule quinta dont il porte le nom. Notion analogue à notre conception du château ou du domaine, le *single quinta vintage* rompt avec l'idée d'assemblage, historiquement au principe du porto. Elle apparaît comme une manière de retour au terroir, même si l'assemblage met parfois en jeu les terroirs les plus divers. L'étiquette porte le nom de la quinta, le millésime, la date de mise en bouteille.

LATE BOTTLED VINTAGE (LBV). Il s'agit d'un porto millésimé élevé de quatre à six ans en fût avant embouteillage, souvent composé des cuvées éliminées pendant la sélection des vintages. Compromis entre le tawny et le vintage, plus structuré que le premier, moins puissant que le second, d'excellent rapport qualité-prix, le LBV est prêt à boire dès sa mise en vente. Il vieillit néanmoins quelques années. L'étiquette mentionne le millésime et la date de mise en bouteille. Le négoce élabore deux grands styles de LBV, catégories officieuses non reconnues par l'IVP, l'un, « traditionnel », à partir de vins non filtrés, qui peuvent vieillir ; l'autre, « commercial », assemblant des vins filtrés, stabilisés, prêts à la consommation.

Le LBV est d'apparition récente et incertaine. Trois marques en revendiquent la paternité : Taylor, Noval, Offley. En 1970, Alistar Robertson (dirigeant de Taylor) vend ce type de porto en Angleterre, après six ans d'élevage en tonneau. Un vin filtré et stabilisé avant commercialisation. L'absence de dépôt favorise la vente au verre dans les restaurants et les clubs. C'est la première utilisation du mot « vintage » pour désigner un porto autre qu'un vintage au sens strict. En 1973, l'IVP officialise la dénomination « late bottled vintage ». Puis le groupe Symington introduit le LBV dans sa gamme. Chez Graham, d'abord, puis chez Dow. Le style de Warre et de Smith Woodhouse, autres marques de Symington, est ensuite revu et corrigé. Les deux marques élaborent des LBV « traditionnels », non filtrés, élevés en bouteille quelques années avant commercialisation. Ce vin, qui présente un dépôt, ressemble davantage à un vintage classique.

Les vintages ne sont élaborés que dans les années exceptionnelles, trois ou quatre fois par décennie.

FERREIRA
Est. 1751

L.B.V. PORT
Late Bottled Vintage
BOTTLED IN OPORTO IN 1996
1991
A.A. FERREIRA S.A. VILA NOVA DE GAIA
PRODUCT OF PORTUGAL
20,5 %vol.   750 ml ℮

LES AUTRES VINS DU DOURO

Le roi porto occulte les autres vins du Douro. En fait, ces derniers sont majoritaires, puisqu'ils représentent plus d'un million d'hectolitres par an. Il s'agit de vins rouges, blancs, rosés, de mousseux secs et aussi de vins doux, les muscats (moscatels). On les classe dans trois catégories.

• La première, en volume, regroupe les vins d'appellation contrôlée, les Vinho do Douro. Ces vins rouges et blancs secs constituent le reliquat du porto. Récoltés dans les vignes classées de A à F, ils résultent du *beneficio*, opération qui divise la récolte en vin mutable (porto, environ 730 000 hectolitres par an) et vin non mutable (VQPRD Douro, environ 680 000 hectolitres par an, dont un tiers de blancs). Le volume annuel de Vinho do Douro résulte de la différence entre le rendement maximal des vignes considérées (55 hl/ha) et la quantité de porto élaborée cette année-là (par exemple, pour un hectare de vignes classées A : 30 hl de porto à déduire des 55 hl/ha, soit 25 hectolitres de Vinho do Douro).

• Les vins de table forment, en volume, la deuxième catégorie. Ils émanent des vignes classées de G à L, inaptes par principe à produire du porto. Rouges, rosés ou blancs, ils naissent de cépages du Douro, ou, plus rarement, de variétés exogènes, la plupart du temps françaises (chardonnay, riesling, gewurztraminer, pinot noir, sauvignon, etc.), qui représentent moins de 2 % de l'encépagement du Douro. Avec un rendement maximum de 55 hl/ha, la production moyenne atteint 400 000 hectolitres par an, dont une moitié de blancs.

• La troisième catégorie correspond aux vins avec IPR (Indication de provenance réglementée), issus eux aussi de raisins récoltés dans les vignes classées de G à L ; leur volume atteint environ 16 400 hectolitres par an, dont une moitié de blancs, pour un rendement maximum de 55 hl/ha. Les vins régionaux, rouges et blancs secs, se nomment Terra Duriense (« Terre du Douro »). D'autre part, le muscat, vin muté issu du cépage galego, est produit dans la commune d'Alijó. Les mousseux sont élaborés par trois producteurs, selon la méthode traditionnelle, dite champenoise, ou la méthode Charmat (cuve close).

Aujourd'hui, ces vins secs du Douro jouissent d'une faveur nouvelle. Le goût des consommateurs portugais évolue peu à peu. La région entend se faire connaître par

d'autres produits que le vin de liqueur auquel elle réserve depuis des siècles ses meilleurs soins. Des maisons complètent leur gamme de portos par des vins secs. C'est le cas de Ramos Pinto, qui vinifie depuis peu des blancs et des rouges parfumés dans la quinta de Bon Ares, équipée d'un matériel ultramoderne. La firme suit ainsi le sentier ouvert par des négociants perspicaces qui produisent des vins secs depuis longtemps, tels Fonseca, Ferreira, Cockburn, etc.

Ferreira vinifie même depuis le début des années cinquante le vin rouge sec le plus cher et le plus couru du Portugal : Barca Velha. En un temps, pas si lointain, où le matériel de refroidissement était rare dans le vignoble, ce cru, dominé par le tinta roriz, était élaboré dans des conditions rocambolesques. Chargé de pains de glace au port de Leixões, à Matosinhos, dans la banlieue nord de Porto, un camion partait le matin pour le Douro. La moitié de sa cargaison fondait en route. Le vinificateur refroidissait les cuves en fermentation avec les blocs de glace rescapés.

Les vins du Douro cherchent encore leur style. Les blancs et les rosés sont en quasi-totalité des vins technologiques, simples, parfumés, faciles à boire. De rares élaborateurs s'essaient à confectionner des blancs plus complexes et plus denses, aux notes d'épices et de fruits blancs confits, qui évoquent parfois un hermitage ou un vieux château-neuf-du-pape. Les vins rouges ? Soit légers et fruités, à consommer rapidement, soit puissants, tanniques et massifs. Leur séduction tient alors davantage à leur structure qu'à leur fruité et leur complexité. Barca Velha, monstre de concentration et de tanins, ne consent à s'ouvrir qu'au bout d'une heure de présence en carafe. L'aventure des vins secs du Douro ne fait que commencer...

Le Douro ne produit pas que du porto. Il offre une grande diversité de vins secs, rouges, blancs ou rosés. En bas, le sceau des « Vinho do Douro », vins secs d'appellation contrôlée.

Apprécier le porto

Transvaser les portos dans une carafe permet aux vins de développer leurs arômes et leurs saveurs. Dans le cas des vintages (page suivante), l'opération est rendue nécessaire par la présence d'un dépôt qui impose une décantation.

Depuis juillet 1996, le porto est obligatoirement embouteillé à Gaia ou dans le Douro. L'exportation en vrac est désormais suspendue – une bonne nouvelle pour la qualité et pour les consommateurs. Cependant, l'exportation en vrac de porto déclassé destiné à l'industrie alimentaire demeure possible. Dans ce cas, le vin doit être dénaturé par adjonction de sel et de poivre. En 1997, 7 150 hectolitres de ce produit ont quitté le Portugal.

L'exportation en citerne, par route ou par rail, facilitait tous les trafics. Sous la prestigieuse étiquette « Porto », on a longtemps vendu les plus invraisemblables mixtures. Dorénavant, tous les flacons de porto arborent sur leur goulot le cachet en papier blanc de l'Institut du vin de Porto – une garantie de qualité et d'authenticité qui était absente des portos embouteillés dans les pays importateurs avant 1996. Quant à l'étiquette, elle continue à livrer toutes les informations nécessaires à l'achat : type de vin, nom de la marque, âge, millésime, date d'embouteillage, etc.

Pour ne pas se tromper, on choisira des marques. De grandes marques de toutes natio-

nalités, portugaise, anglaise, allemande, hollandaise, française. On sélectionnera aussi les quintas renommées. Toutes ces maisons réputées doivent tenir leur rang. Elles commercialisent leurs vins médiocres sous d'autres étiquettes. Certaines tirent une bonne part de leurs revenus de l'élaboration des « BOB » (*Buyers Own Brands*), marques d'acheteurs qui alimentent les linéaires des supermarchés. D'où une certaine aisance qui facilite l'élaboration de bons portos. Dès lors, on aura peu de déceptions à redouter de la part de firmes comme Niepoort, Taylor, Ramos Pinto, Cockburn et Smithes, Delaforce, Kopke, Warre, Barros, Fonseca, São Pedro das Aguias, Burmester, Manuel Poças, Churchill, Graham, Sandeman, Forrester, Croft, Ferreira, Cálem, Dow, quinta do Infantado, quinta do Castelinho, quinta do Crasto, quinta do Noval...

Le lieu d'achat du porto importe. La grande distribution propose pour l'essentiel des rubies et des tawnies standards. Parfois, lueur fugace dans une nuit opaque, de rares vintages colonisent les rayons le temps d'une promotion ou d'une opération spéciale. Quelques grandes surfaces envisagent de vendre des portos de qualité pendant les foires aux vins d'automne. La marque William Pitters suggère l'organisation de foires aux portos, analogues aux foires aux whiskies.

Où acquérir les grands portos, vintages, LBV, tawnies avec mention d'âge, colheitas ? Non dans la grande distribution, spécialisée dans les styles de portos les plus courants, mais chez le caviste, homme de l'art par excellence. On peut aussi s'adresser aux importateurs, qui refusent rarement de servir les particuliers, à un prix toutefois supérieur à celui consenti aux professionnels. Certains cavistes proposent des vintages en primeur, comme les grands crus du Bordelais, un mode de commercialisation en vogue à Gaia depuis quelques années. Taylor, par exemple, vend ses vintages en deux fois : une première partie

en primeur, douze à quinze mois après la récolte ; le solde, quelques années plus tard, lorsque les portos millésimés sont prêts à boire. La vente en primeur favorise une folle spéculation, surtout aux États-Unis. Ainsi, par exemple, le vintage 92 de Taylor a été vendu en primeur de 34 à 40 dollars à la fin de 1994 chez les cavistes new-yorkais, puis 100 dollars quelques mois plus tard.

À qui convoite des portos de collection, le voyage de Londres s'impose. Les fastueuses ventes aux enchères de Christie's et de Sotheby drainent depuis des décennies les collectionneurs avides de vintages historiques, tel le Nacional 1931 (de la quinta do Noval), dont un flacon avait atteint 1 250 livres. Rien de tel en France. En revanche, outre-Atlantique, les ventes aux enchères font aussi la cote des portos.

CONSERVER LE PORTO EN CAVE

On ne confondra pas le porto avec une eau-de-vie. Malgré son degré alcoolique élevé, il s'agit d'un vin et non d'une eau-de-vie. À la différence d'un cognac ou d'un armagnac, rangés debout pour éviter la destruction du bouchon par l'alcool, on doit le conserver couché. Ainsi, il forme un joint d'étanchéité entre le goulot et le bouchon, les échanges gazeux s'effectuant à travers le liège. La cave doit être obscure, correctement aérée, d'hygrométrie et de température constantes (de 12 à 15° C), exempte de produits odorants, tels le fuel, la peinture ou l'ail, qui peuvent gâter les vins. Seule la position des vintages sera définitive. En effet, au fil du temps, les lies de ces crus non filtrés se déposent à l'intérieur de la bouteille. Elles forment une croûte, et le moindre mouvement risque de remettre le dépôt en suspension dans le vin. Une marque blanche, tracée à la craie, côté lies, facilitera la remise en place des flacons, en cas de déménagement, par exemple.

QUAND BOIRE LES PORTOS ?

Les portos blancs, rubies, vintage character, jeunes tawnies (sans indication d'âge) sont vendus à maturité. Il en va de même des tawnies avec mention d'âge ou millésimés (colheitas), qui peuvent se conserver de cinq à dix ans. Au-delà, l'alcool risque de dominer les vins. Les LBV sont également commercialisés à maturité. Mais certains, notamment les LBV non filtrés, peuvent évoluer trois ou quatre ans de plus. En revanche, les vintages sont susceptibles de vieillir longtemps. Leurs tanins, leur concentration, leur degré alcoolique les prédisposent à mûrir lentement, seulement oxydés par l'air qui traverse le bouchon. Un bon vintage vieillit une vingtaine d'années. Un grand vintage, trente ou quarante ans.

*Étincelantes, les carafes
de cristal (ici exposées
à la salle à manger de
Sandeman, à Gaia)
ajoutent au plaisir de
la dégustation.*

*Un accord gourmand
parfait : un vintage
et le* queijo da Serra,
*le fromage de montagne
que l'on mange
traditionnellement à la
petite cuillère.*

COMMENT BOIRE
LES PORTOS ?

On dégustera les portos rouges à une température de 16-18 ° C, comme un bourgogne ou un bordeaux. Tous les portos peuvent être servis directement de la bouteille, à l'exception du vintage, et de rares LBV non filtrés. Pourquoi ? En vieillissant, ces vins déposent des lies à l'intérieur du flacon. Dans un vintage d'une vingtaine d'années, ce dépôt représente parfois le tiers du récipient, d'où la nécessité de l'éliminer, par décantation en carafe. En outre, l'aération concomitante ouvre le vintage, révèle et développe ses arômes et ses saveurs, ce qui vaut aussi pour les autres portos. On utilisera une carafe à large fond plat, qui favorise le contact entre le porto et l'oxygène de l'air.

On disposera d'abord le flacon debout une demi-journée, voire une journée, afin que les lies tombent au fond. La décantation aura lieu trois à quatre heures avant le service. Pour ouvrir le flacon, le procédé traditionnel consiste à appliquer sur le goulot de la bouteille des pinces spéciales rougies au feu, les *port tongs*. Le verre fume, rougoie. Au bout

*Ci-contre : Couleur
de mûre, le vintage réjouit
l'œil avant d'éblouir
le palais.*

*Spectaculaire,
l'ouverture d'un vintage
avec des pinces rougies
par le feu (port tongs),
chez Sandeman.*

d'une minute, on enlève les pinces et l'on passe un linge mouillé à l'endroit surchauffé. Le goulot casse net sous l'effet du choc thermique, emportant avec lui l'inexpugnable bouchon. Cette « décapitation par le feu » est aujourd'hui au porto ce que le sabrage est au champagne : un spectacle folklorique, qui réjouit l'œil et séduit les clients au cours des dîners servis dans les chais éclairés à la bougie. Moins spectaculaire, mais tout aussi efficace, une seconde méthode fait appel au bon vieux tire-bouchon. On transvasera ensuite le porto, lentement, en évitant que le dépôt ne tombe dans la carafe, au besoin en effectuant l'opération à la lumière d'une bougie.

Reste à servir le porto. Comment ? Les Anglais ont inventé un rituel adéquat à la carafe. Selon une tradition désormais séculaire, le récipient de cristal blanc lesté de vin circule d'un convive à l'autre, dans le sens des aiguilles d'une montre, sans jamais toucher la nappe. La circumnavigation de la carafe autour de la table influe-t-elle sur le goût du vin ? On n'a pas encore démontré que le porto change de saveurs si la carafe circule en sens inverse, touche la nappe, ou zigzague d'un invité à

l'autre. À chacun son rituel ou cette absence de rituel qui peut constituer un rituel...

On évitera le traditionnel verre à porto, trop petit pour favoriser l'expression des arômes. On lui préférera le classique verre à bordeaux en forme d'œuf tronqué.

LES ACCORDS GOURMANDS

Une « exception française » dont nous gagnerions à nous affranchir : boire le porto à l'apéritif. D'abord nous avalons le fond du Douro. Ensuite, le sucre sature notre bouche, compromettant ainsi la suite du repas. Enfin, les portos se révèlent à table, dans leur compagnonnage avec les mets. Les Anglais, eux, dégustent le porto après le dessert, avec un fromage, stilton ou brebis de montagne portugais servi à la cuillère. Parfois, comme à la Factory House, à Porto, les convives, verre et serviette en main, quittent la salle à manger pour un salon voisin, où un vieux vintage les attend dans une carafe en cristal.

On se bornera à quelques idées d'alliance, dont quelques-unes empruntées à Jean Bardet, Michel Troisgros, Michel Lorain, Denis Franc,

Philippe Gauffre, Yves Gravelier, Guy Savoy. Trois stratégies sont possibles : fonder les mariages sur une communauté d'arômes entre le vin et le plat, et associer ainsi un dessert au caramel et un très vieux tawny ; réaliser des accords selon la puissance, en servant par exemple un sanglier et un jeune vintage ; n'en faire qu'à sa tête et suivre son goût. On n'oubliera pas que le porto s'allie à merveille aux cuisines combinant l'acide et le sucré, telles que la chinoise ou l'indienne.

Le porto blanc et le ruby sont les portos d'apéritif par excellence ; on les servira seuls ou avec du tonic, accompagnés de fruits secs – amandes fraîches, noix de cajou ou pistaches. Le ruby s'accordera aussi avec un melon au jambon ou aux figues, un gratin d'oignons, une tarte aux fraises, aux cerises, des sorbets...

Un jeune tawny appréciera un foie gras, chaud ou froid, une terrine de veau et de lapin, un foie de veau à l'aigre-doux, des coquilles Saint-Jacques à l'aigre-doux, une salade tiède de homard ; en dessert : une compote de pruneaux, un gratin de fruits rouges...

Sur un vieux vintage ou un colheita, on servira une poêlée de langoustines, de la lotte étuvée à l'anis, un foie gras au vin rouge, un pigeon rôti, un perdreau Romanoff, et pour clore le repas, des figues rôties, une tarte Tatin aux abricots...

Un late bottled vintage sera mis en valeur par un canard à l'orange ou aux pêches, un poulet au miel, un lapereau en pastilla, une noisette de chevreuil, par des fromages à pâte molle ou pressée (comté, cantal, mimolette, époisses, munster...) et par des desserts au chocolat.

Avec un vintage, une association audacieuse : un steak au poivre et un jeune vintage de quatre ans. Les vintages plus âgés se marieront avec du gibier, des desserts aux fruits rouges et noirs, des fromages de chèvre mi-secs et des bleus : roquefort, bleu d'auvergne, stilton, gorgonzola...

Le marché du porto et les grandes marques

Une production massivement exportée

Le plus gros consommateur de porto ? La France, qui absorbe chaque année le tiers de la production du Douro, de 260 000 à 290 000 hectolitres par an. Premier consommateur mondial, notre pays devance la Belgique et le Luxembourg (16 % en moyenne des ventes), les Pays-Bas (15,5 %), le Portugal (13 %), le Royaume-Uni (7 %), l'Allemagne (3,4 %).

Que buvons-nous ? Massivement (96, 5 %) des portos standards, rubies et tawnies. Et parfois (3,5 %) des « catégories spéciales », surtout des tawnies de dix ans. Nous commençons tout juste à découvrir les LBV, vintages et colheitas, portos depuis longtemps consommés en Grande-Bretagne (ils représentent 35,3 % des portos vendus dans ce pays), et depuis quelques années aux États-Unis (48,9 % des ventes) ainsi qu'au Canada (65,8 % des ventes).

Quelque soixante-dix entreprises importent le porto en France, dont trente affiliées au Syndicat des importateurs de vins de liqueur. Qui sont ces importateurs ? Des distributeurs, qui commercialisent aussi en France d'autres types de vin et de spiritueux (Auxil, Sodevi, Moët-Hennessy, Slaur...) ; des marques de champagne (Vranken, Roederer...) ; et aussi deux marques françaises de porto, Cruz et Pitters. Parmi les importateurs, il faut encore mentionner des cavistes, qui commercialisent des quantités très faibles, et des négociants qui opèrent au coup par coup pour les grandes surfaces.

Le porto est vendu massivement dans la grande distribution : 64 % dans les hyper et supermarchés, auxquels il faut ajouter les 12 % commercialisés par les *hard discounters*. La vente par les détaillants, supérettes et cavistes, ne représente que 14 %, tan-

dis que les restaurants écoulent 10 % du porto. Environ la moitié des ventes des grandes surfaces concernent les portos de premier prix ou des marques de distributeurs comme Vasco's (Auchan), Dorrao (Leclerc), Valadao (Intermarché), Register (Casino)...

LES FAUX PORTOS

Hommage du vice à la vertu, le porto figure, avec le chablis et le beaujolais, parmi les crus les plus imités au monde. Les faux portos vendus dans l'Union européenne sont le plus souvent des rouges sucrés d'origine indéterminée, expédiés en vrac sans papiers d'identification. Les faux portos du nouveau monde du vin naissent de cépages étrangers à ceux du Douro, par exemple du grenache, en Australie, en Nouvelle-Zélande, aux États-Unis, en Afrique du Sud. Bien élaborées, ces manières de porto, parfois délicieuses, ont peu de choses à voir avec le vin de liqueur du Douro.

Faire respecter l'appellation Porto par les pays qui l'usurpent suppose des accords bilatéraux entre États producteurs. Ces accords se traduisent par des textes, applicables à une date déterminée ou bien à une date indéterminée. Prenons l'exemple de l'Australie : si, depuis 1993 et 1997, les mentions beaujolais, cava, vinho verde, chianti, frontignan, madère sont réservées aux vins issus des régions historiquement productrices, les élaborateurs de porto, de sauternes, de graves, de xérès (sherry), par exemple, attendent encore la date d'application des accords qui les protégera des faussaires.

Une fois les textes appliqués, les vendeurs indélicats ne pourront plus commercialiser légalement de faux portos. Aucune loi ne les empêchera pourtant de les proposer sous le nom de ruby, de vintage, de tawny, etc. L'IVP demande donc au gouvernement portugais la protection mondiale de ces désignations, fondées sur la tradition et les technologies propres au Douro. Une liste impressionnante de vingt-deux termes. Entre autres : Colheita, Lagrima, Late bottled vintage, Ruby, Tawny, Vintage, Vintage character.

Tout le monde n'est pas d'accord, même dans l'Union européenne. Parmi les opposants à cette mesure, la Hollande et la Belgique, qui vendent parfois des rubies et autres tawnies de mystérieuse origine. Une pratique née après l'arrêt des exportations en vrac en 1996. Une manière de tourner l'obligation de vendre du porto embouteillé au Portugal.

Quarante firmes de porto

Tout a bien changé dans le monde du négoce, depuis le XVIIe siècle. Fondées par des Portugais, ou par des Écossais séduits par le soleil de la Péninsule et par le parfum d'aventure qui se dégageait d'un vignoble inconnu, les firmes familiales de Gaia deviennent peu à peu la propriété des grandes sociétés multinationales qui dominent le commerce de la bière et des spiritueux. Sandeman appartient désormais à Seagram, Croft à DIAGEO, récente fusion d'IDV (International Distillers and Vintners) et de Grand Metropolitan, et Cockburn est devenue une filiale d'Allied Domecq.

Parmi les dix exportateurs les plus puissants (voir encadré), seuls cinq des huit groupes historiques appartiennent toujours à la famille qui les a fondés ou développés. Le premier d'entre eux, Symington, est dirigé par sept parents : Johnny, Ian, Peter, Amyas, James, Dominic et Paul. Plus Anglais que nature, actifs, pragmatiques, les Symington acquièrent peu à peu firmes et quintas. Ils contrôlent aujourd'hui Dow, Graham, Gould Campbell, Smith et Woodhouse, Warre, la quinta do Vesuvio. L'autre maison anglaise toujours détenue par une famille fondatrice est Taylor, propriété des Robertson. Les trois autres firmes familiales sont portugaises : Barros et Almeida, Sogrape, et Real Vinicola.

Dans le même temps, des firmes changent de main. Ramos-Pinto a été récemment achetée par les Champagnes Roederer. La quinta do Noval est contrôlée depuis 1993 par Axa-Millésimes, l'un de ces « zinzins » (investisseurs institutionnels, dans le jargon boursier : banques, compagnies d'assurance, mutuelles) qui acquièrent des vignobles en France, au Portugal et en Hongrie. D'autres, comme Cálem, pourraient changer de propriétaire.

Les 68 firmes inscrites à l'Institut du vin de Porto élaborent d'abord des portos de marque (Niepoort, Ferreira, São Pedro, etc.). Certaines d'entre elles vinifient aussi des BOB (Buyers Own Brands), marques d'acheteurs principalement destinées aux grandes surfaces, ainsi que des cuvées réservées aux deux marques françaises, William Pitters et Porto Cruz, qui diffusent en général des produits de bas de gamme. Au total, 20 à 22 négociants commercialisent 99 % des 1 150 marques de porto, vin exporté à près de 90 %, principalement en Europe.

LES DIX PREMIERS EXPORTATEURS DE PORTO EN 1995

En 1995, dix groupes ont commercialisé environ 693 000 hectolitres à eux seuls, soit les trois quarts d'une vente totale d'environ 924 000 hectolitres.

1 Symington. Groupe familial anglais. Marques : Graham's, Dow's, Warre's, Gould Campbell, Quinta do Vesuvio, marques d'acheteurs. Environ 142 500 hectolitres.

2 Gran Cruz. Filiale de La Martiniquaise, société française. Marques : Porto Cruz, marques d'acheteurs. Environ 108 000 hectolitres.

3 Real Companhia Velha. Propriété de la famille Silva Reis. Marques : Royal Oporto, nombreuses marques d'acheteurs. Environ 100 000 hectolitres.

4 Sogrape. Groupe familial portugais. Marques : vins Mateus, Ferreira, Forrester, Hunt Constantino. Environ 75 000 hectolitres.

5 Sandeman. Filiale de la société multinationale Seagram. Marques : Sandeman, Robertson. Environ 67 000 hectolitres.

6 Cockburn. Propriété du groupe multinational Allied Domecq. Marques : Cockburn, Martinez. Environ 49 000 hectolitres.

7 Barros et Almeida. Groupe familial portugais. Marques : Barros, Kopke, Souza, Feist, Feuerheerd, marques d'acheteurs. Environ 42 300 hectolitres.

8 Vasconcellos. Marques d'acheteurs. Environ 40 500 hectolitres.

9 Croft. Filiale de la société multinationale IDV (International Distillers and Vintners). Marques : Croft, Delaforce, Morgan. Environ 36 500 hectolitres.

10 Taylor. Propriété de la famille anglaise Robertson. Marques : Taylor's, Fonseca. Environ 32 000 hectolitres.

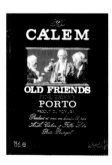

ANDRESEN

Une petite maison fondée en 1845 par un jeune Danois, qui après s'être embarqué sur un voilier à quatorze ans, s'établit sur les rives du Douro sans rien connaître au porto ni au Portugal. Il prit finalement la nationalité portugaise. La firme, aujourd'hui dirigée par la famille Flores dos Santos, est restée indépendante. Elle produit aussi les marques Mackenzie et Pinto Pereira et vend environ 500 000 bouteilles par an. On trouve toute la gamme des portos sous la marque Andresen, qui est réputée pour ses vintages.

BARROS ET ALMEIDA

Avec une vente totale d'environ 4,5 millions de bouteilles chaque année, le groupe Barros et Almeida figure dans le peloton de tête des exportateurs (voir encadré). Créée en 1919 par Manuel Barros et Manuel Almeida, cette maison familiale portugaise s'enrichit de nouvelles marques au fil des ans. Elle regroupe aujourd'hui Viera de Souza (Portos Souza), Hutcheson, Growers (Portos Flagman, Rocha, Maia), Feuerheerd, Feist et Kopke. À elle seule, la firme Barros et Almeida commercialise 1,2 million de bouteilles par an.

Les quintas. Quatre belles propriétés dans le Douro : les quintas Dona Matilde, da Alegria, do Carvoeiro et da Galeira.

Les vins. Blancs, rubies, tawnies, tawnies 10 ans, colheitas, LBV, vintages.

À découvrir. Des tawnies de 20 et 30 ans, des colheitas particulièrement réussis.

BORGES ET IRMÃO

Aujourd'hui contrôlée par une banque du groupe Banco de Fomento e Exterior, la Sociedade dos Vinhos Borges, alias Borges et Irmão, est créée en 1884 par les frères António et Francisco Borges. Outre le porto, cette puissante firme commercialise aussi du vinho verde et des vins du douro, du Dão, du Barraida. Elle compte 24 fournisseurs de raisin dans le Douro et vend environ 2,6 millions de bouteilles par an.

Les quintas. Trois propriétés : quinta do Junco, quinta da Soalheira, quinta da Casa Nova.

Les vins. Pour l'esssentiel des tawnies, et aussi des portos blancs, des tawnies 10 et 20 ans, des colheitas, des LBV, des vintages.

À découvrir. Le suave tawny Soalheira 10 ans, le vintage Borges 94, complexe et velouté.

BURMESTER

Une firme d'origine allemande. Le fondateur descend d'un habitant de Mölln, près de Lübeck, qui avait fui son pays troublé par les guerres de Religion. Le nom « Burmester » procède de *Burgermeister* (« bourgmestre, maire »). Les Burmester deviennent les uniques propriétaires de la firme en 1851. Aujourd'hui, quoique de petite taille, avec des ventes d'environ 350 000 bouteilles par an, Burmester suscite le respect de ses confrères. La raison ? Des vins de qualité, fins et complexes.

Les quintas. Quinta Nova de Nossa Senhora do Carmo, 120 hectares, à côté de Pinhão.

Les vins. Portos blancs, rubies, tawnies, tawnies 10, 20, 30 et plus de 40 ans, colheitas, LBV, vintages. Soit toute la gamme des portos, avec un accent mis sur les tawnies avec indication d'âge et les colheitas.

À découvrir. Les extraordinaires colheitas 37, 63, le LBV 85, les vintages 85 et 94, denses et fruités.

CÁLEM

Fondée en 1859 par António Alves Cálem, c'est une firme familiale portugaise majeure. À l'avant-garde de la technologie, mais utilisant toujours les lagares pour ses grands vins, Cálem investit largement dans le Douro, multiplie les nouvelles plantations, aménage ses vignobles, achète des raisins à une centaine de producteurs. Elle exporte dans le monde entier, notamment au Brésil, marché très important depuis la fondation de la maison. Elle vend environ 3 millions de bouteilles par an.

Les quintas. De magnifiques propriétés représentent environ 10 % de la production de la firme, notamment la quinta do Foz, la quinta do Sagrado, la quinta do Vedial, la quinta da Ferradosa.

Les vins. Des vins de haute qualité, dans le style

portugais (finesse et complexité). Toute la gamme du porto : rubies, vintage character, tawnies, notamment l'emblématique « Tres Velhotes » (« Trois vieillards »), tawnies avec mention d'âge, colheitas, LBV, vintages.
À découvrir. Le tawny 10 ans, complexe et fin, le très séduisant colheita 89, l'élégant et puissant single vintage 95 de la quinta do Foz.

CHURCHILL GRAHAM

Créée en 1981 par John Graham, qui avait fait ses classes chez Cockburn et Taylor, c'est la dernière née des « petites grandes marques ». Petite par la quantité, environ 264 000 bouteilles vendues chaque année. Grande par la qualité, puisque Churchill se spécialise plutôt dans les catégories spéciales, LBV et vintages.
Les quintas. Aucune. Churchill achète la production de trois quintas.
Les vins. Portos blancs, tawnies 10 ans, LBV, vintages.
À découvrir. Des LBV soyeux, des vintages à la fois denses et moelleux.

COCKBURN ET SMITHES

Une maison fondée en 1815 par Robert Cockburn, marchand de vins en Écosse. Elle se transforme en Cockburn et Smithes en 1854, quand Henry Smithes s'associe à la famille Cockburn. Au début des années 1960, la firme passe sous le contrôle de Harveys, filiale du groupe multinational Allied Domecq. Aujourd'hui, Cockburn et Smithes, qui dispose des raisins de 500 viticulteurs, représente environ 38 % du marché anglais et commercialise chaque année environ 7,2 millions de bouteilles.
Les quintas. Les quintas représentent 15 % de la production : la quinta do Tua, la quinta dos Canais, la quinta do Val Coelho, la quinta de Atayde, la quinta de Santa Maria.
Les vins. De haut niveau, spécialement les vintages, fortement constitués. Portos blancs, rubies, tawnies classiques, 10, 40 ans et plus, LBV, vintages. Spécialité : un tawny, le Cockburn's Special Reserve.
À découvrir. Les vins de Cockburn et Smithes sont

rarement commercialisés en France. Il faut donc se rendre à Londres pour savourer, parmi les 17 vintages qu'a élaborés la firme depuis le début du siècle, les délicieux 83, 85 et 91.

CROFT

Croft est l'une des plus anciennes firmes de porto, établie en 1678 dans l'estuaire du Douro. Elle demeure entre les mains de la famille Croft jusqu'en 1911, année où l'acquiert la société Gilbey, absorbée ensuite par IDV (International Distillers and Vintners), qui achète dans la foulée les maisons Morgan et Delaforce. Aujourd'hui, toutes ces firmes sont des filiales de DIAGEO, résultat de la fusion entre IDV et Grand Metropolitan.
Les quintas. Une seule propriété, exceptionnelle par son exposition : la quinta da Roeda, qui produit les vintages.
Les vins. Élégants et complexes. Blancs, tawnies, tawnies avec indication d'âge, LBV, vintages.
À découvrir. Les très fins tawnies 10 et 20 ans.

DELAFORCE

Autre propriété d'IDV, la maison Delaforce est créée en 1868 par les descendants d'une famille huguenote qui avait fui la France lors de la Révocation de l'édit de Nantes. Des Delaforce travaillent toujours dans la firme.
Les quintas. Delaforce ne possède aucune quinta, mais exploite la quinta do Corte, d'où ses vintages proviennent pour l'essentiel.
Les vins. Fins, distingués. Des rubies, des tawnies, des vintages. Jusqu'à une date récente, les portos Delaforce n'étaient pas vendus en France. On commence à trouver quelques tawnies et vintages dans l'Hexagone.
À découvrir. Les vintages, élégants, délicats.

DOW

Aujourd'hui filiale du groupe Symington, Dow est née en 1798 de la volonté d'un marchand de vins portugais, Bruno da Silva, fondateur de la maison Silva et Cosens. Cette firme, justement renommée pour ses vintages, vinifie la récolte de 1 500

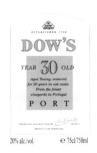

vignerons et commercialise 2,6 millions de bouteilles par an à travers le monde

Les quintas. Une seule, mais de grande qualité, la quinta do Bonfim, dont les vignes participent à l'élaboration des vintages.

Les vins. Généreux, élégants, avec une finale sèche. Portos blancs secs, rubies, tawnies, tawnies 10, 20, 30 et plus de 40 ans, colheitas, LBV, vintages.

À découvrir. Le colheita 63, pour son extrême finesse ; le vintage 96 de la quinta do Bonfim, mûr et concentré.

FEIST

Une marque créée à Londres en 1936 par deux cousins allemands, puis rachetée en 1953 par Barros et Almeida. Réputée pour ses rubies et ses tawnies, elle vend environ 1 million de bouteilles par an, entre autres, des tawnies 20 ans et des colheitas, récoltés en partie à la quinta da Fonte Santa.

FERREIRA

Ferreira, créée en 1751, est l'une des maisons les plus dynamiques de Gaia. Signe particulier ? Ses fondateurs, de la famille Ferreira, possédaient de la terre dans le Douro avant même de se lancer dans le négoce. L'affaire fut confortée au XIXᵉ siècle par Dona Antonia Adelaide Ferreira, femme énergique et entreprenante, veuve à trente-trois ans, qui développa les vignobles familiaux et fut au porto ce que la veuve Clicquot fut au champagne. Ferreira appartient depuis 1989 à la famille Guedes, qui contrôle Sogrape-Mateus. La maison de Gaia contrôle aussi deux autres marques : Hunt Roope et Offley-Forrester. Quatrième groupe exportateur, Ferreira commercialise environ 10 millions de bouteilles par an.

Les quintas. Quatre propriétés, qui fournissent environ 20 % de la production : quinta do Caedo, quinta da Leda, quinta do Porto, quinta do Seixo.

Les vins. Des portos de grande classe, surtout des tawnies, et quelques vintages typés Ferreira, doux et fruités. Des vins secs, tels Barca Velha et Esteva.

À découvrir. Le tawny 20 ans, le LBV 91, le savoureux vintage 83.

FONSECA GUIMARAENS

Une firme créée en 1822 par Manuel Pedro Guimaraens, reprise en 1948 par Taylor. Depuis 1896, cas unique dans le négoce, trois membres de la famille Fonseca se sont succédé pour superviser les assemblages, assurant ainsi la pérennité du style maison : Franck Guimaraens, jusqu'en 1952 ; Bruce Guimaraens, depuis 1956 ; et enfin David Guimaraens, qui travaille avec son père depuis 1990. La plupart des vins sont toujours élaborés en lagares. Fonseca achète des raisins à une trentaine de viticulteurs et commercialise environ 1,2 million de bouteilles par an.

Les quintas. Deux superbes propriétés, qui fournissent l'essentiel des vintages : quinta do Cruzeiro, quinta do Panascal.

Les vins. Des portos de haute qualité, puissants, concentrés, charnus et fruités. Les vintages de Fonseca sont remarquables. Tawnies 10, 20 et 30 ans, et de plus de 40 ans, LBV, vintages.

À découvrir. Le Bin 27, un vintage character charnu et fruité, vendu en Angleterre, le tawny 20 ans d'âge, le magnifique vintage 94.

FORRESTER

Offley-Forrester naît en 1737, à l'initiative de William Offley, auquel Joseph James Forrester se joint en 1831. Grand homme du porto, ce dernier se noie en 1862 dans les rapides du Douro, au Cachão da Valeira. Cette firme, qui porte aujourd'hui le nom de Forrester et qui commercialise environ 6,5 millions de bouteilles par an est devenue la propriété de Ferreira, après avoir appartenu successivement à Sandeman et à Saint-Raphaël, filiale du groupe Martini et Rossi.

Les quintas. Deux propriétés dans le Douro, la quinta da Boa Vista et la quinta do Fojo qui fournissent environ 3 % de la production de la marque.

Les vins. Une production de qualité fondée sur le tawny. Rubies, tawnies classiques, LBV.

À découvrir. Les tawnies Baron de Forrester 10 et 20 ans, les vintages 89 et 94.

GOULD CAMPBELL

Créée en 1797, cette firme britannique, renommée pour ses LBV, ses vintages puissants et généreux, fait partie du groupe Symington. Elle achète la vendange de 300 vignerons et vend 50 000 bouteilles par an à travers le monde.

GRAHAM

Fleuron du groupe Symington qui, premier exportateur de porto, commercialise environ 18 millions de bouteilles par an, Graham est fondée en 1820 par deux Écossais, les frères William et John Graham. Acquise en 1970 par les Symington, Graham demeure aujourd'hui, avec Taylor, l'une des deux maisons anglaises encore dirigées par une famille. Graham acquiert en moyenne 17 000 hectolitres chaque année auprès de 1 500 viticulteurs et vend 2,2 millions de bouteilles, surtout en Europe.

Les quintas. Une sublime propriété dans le Douro, la quinta dos Malvedos : 146 hectares, dont 70 de vignes.

Les vins. Une production soignée, qui figure parmi le meilleur de Porto. Blancs, rubies, tawnies classiques, tawnies 10 ans, 20 ans, 30 ans et plus de 40 ans, colheitas, LBV. Des vintages dans un style anglais (denses et structurés), mais cependant gras et moelleux. Spécialité : le «Six grapes» (non vendu en France), assemblage de deux ou trois millésimes, embouteillé après cinq ou six ans d'élevage.

À découvrir. Le single quinta vintage de la quinta dos Malvedos 84. L'extraordinaire vintage Graham's 94. Et, si on a la chance d'en trouver, le légendaire vintage Graham's 63.

GRAN CRUZ

Créé en 1926 par Manuel R. da Assunção, Gran Cruz fonde l'essentiel de sa stratégie commerciale sur la quantité. Cette filiale de la société de distribution La Martiniquaise est aujourd'hui l'un des premiers exportateurs de porto, avec le groupe Symington. **Les vins.** Surtout des rubies et des tawnies, ainsi que des tawnies avec indication d'âge et quelques vintages, vendus dans la grande distribution sous l'étiquette « Porto Cruz » ou sous des marques d'acheteurs.

À découvrir. Les vins Cruz ne laissent guère imaginer la grandeur du porto.

HUNT CONSTANTINO

Cette firme, contrôlée par Ferreira, résulte de l'association récente de deux sociétés : d'une part, Hunt, Roope et Cie, marque d'origine anglaise établie à Gaia en 1735 ; d'autre part, la Sociedade dos Vinhos Constantino, fondée en 1877. Hunt Constantino vend aujourd'hui un peu moins de 700 000 bouteilles par an, surtout des rubies et des tawnies.

HUTCHESON

Cette filiale de Barros et Almeida regroupe trois quintas (Santa Ana, do Pedro, da Caldeirinha) et commercialise 2,28 millions de bouteilles par an, notamment des rubies, des tawnies 10 ans et plus de 40 ans.

KOPKE

Joyau du groupe Barros et Almeida depuis 1953, la maison Kopke, fondée en 1638 par Christian Kopke, fils d'un consul des villes hanséatiques au Portugal, est l'une des plus anciennes firmes de porto.

Les quintas. Environ 60 hectares de vignes en partie plantées dans le sens de la pente. Quinta San Luís, quinta da Lobata, quinta da Mesquita.

Les vins. Toute la gamme des portos, notamment d'excellents colheitas et des tawnies avec mention d'âge.

À découvrir. Le tawny 10 ans, les colheitas 63 et 75, le single quinta vintage Quinta San Luís 1975.

MORGAN

Une maison fondée en 1715 par un marchand de vins londonien. En 1952, Morgan devient une filiale de Croft, elle-même aujourd'hui propriété de DIAGEO. La marque était appréciée de Charles Dickens, qui cite un vin, le Double Diamond, dans son ouvrage *Nicolas Nickleby*. Les portos Morgan ne sont pas commercialisés en France.

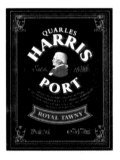

NIEPOORT

Une petite maison qui n'a pas peur des grandes, établie en 1847 par des Hollandais. Aujourd'hui dirigée par Rolf et Dirk van der Niepoort, cette firme discrète, presque marginale, tout entière concentrée sur la qualité des vignes, de la vinification et de l'élevage, produit quelques-uns des plus grands portos. Niepoort se fournit auprès de 33 viticulteurs et vend environ 500 000 bouteilles par an.

Les quintas. Deux propriétés (quinta de Nápoles, quinta do Carril) et un vignoble en fermage (quinta do Passadouro) engendrent environ 25 % de la production.

Les vins. Des portos grandioses, concentrés, charnus, complexes. Portos blancs, rubies, tawnies, tawnies 10, 20 et 30 ans, colheitas, LBV, vintages.

À découvrir. Le tawny 20 ans, le LBV 92, le vintage 96.

OSBORNE

Filiale de la firme de xérès de même nom, Osborne ne possède aucune quinta. Elle se fournit auprès de divers viticulteurs dont elle vinifie les raisins à Torre de Moncorvo, dans le Douro Supérieur. Osborne vend environ 1 million de bouteilles par an.

Les vins. Production d'honnête qualité. Rubies, tawnies, tawnies 10 ans, LBV, vintages.

À découvrir. Le tawny de 10 ans, souple et fruité.

POÇAS JUNIOR

Cette maison portugaise, née en 1918, est toujours dirigée par la famille qui l'a fondée : les Poças. Très dynamique, Poças Junior se fournit auprès de 12 viticulteurs et commercialise environ 2,4 millions de bouteilles par an, notamment en France et en Belgique.

Les quintas. Les trois propriétés produisent 2 200 hectolitres : quinta das Quartas, quinta de Santa Bárbara et quinta do Vale de Cavalos.

Les vins. Une production élégante et typée, surtout fondée sur les tawnies. Tawny Two Diamonds, tawnies 10, 20 ans et plus de 40 ans, colheitas, LBV, vintages.

À découvrir. Le colheita 89, le LBV 90.

QUARLES HARRIS

Aujourd'hui filiale du groupe Symington, la firme d'origine britannique Quarles Harris a été fondée en 1680. Elle achète des raisins à 600 vignerons et commercialise 200 000 bouteilles par an dans le monde entier. Appréciée pour la qualité de sa production, elle propose toute la gamme des portos, notamment de délicieux vieux tawnies (30 ans, plus de 40 ans) et de superbes colheitas.

QUINTA DO NOVAL

La quinta do Noval ? L'une des quintas phares du Douro, 88 hectares de terrasses escarpées. Et une légendaire vigne franche de pied, de 2,5 hectares, la Nacional, dont les vintages donnent une idée du porto d'avant le phylloxéra. Fleuron d'une maison portugaise fondée en 1813 par Adriano da Silva, la quinta do Noval est rachetée par la famille Van Zeller en 1884, puis, en 1993, par Axa-Millésimes. Fait remarquable, tous ces propriétaires appliquent une ligne constante : produire des grands crus. D'où le respect des Britanniques eux-mêmes pour des vins élaborés par une firme portugaise contrôlée par des Français. La quinta do Noval commercialise environ 1 million de bouteilles par an.

Les vins. Tout simplement extraordinaires, complexes, denses, élégants, notamment le vintage Nacional, aussi coûteux que somptueux (2 500 F pour le 94, 5 000 F pour le 63 chez les cavistes). Tawnies, tawnies 10 ans, 20 ans, plus de 40 ans, colheitas, LBV, vintages.

À découvrir. Le tawny plus de 40 ans, le colheita 64, le fabuleux Nacional 96.

QUINTA DE SAO PEDRO DAS AGUIAS

La première entreprise française à acheter une quinta, à créer une marque éponyme, à s'installer dans le Douro d'où elle exporte ses vins dès 1988 ? Les Champagnes Vranken, qui, en 1986, acquièrent la quinta de São Pedro das Aguias (« Saint Pierre des Aigles »), un ancien monastère cistercien entouré de 142 hectares. S'y ajoutent, de 1987 à 1992, six autres quintas, louées ou achetées : quintas de Aveleira, do Paço, de Monte Redondo, de Temilobos, Santo Aleixo, Casal da

Desejosa. En tout, un vignoble de 165 hectares, dont une partie récemment plantée. São Pedro est animée par une logique de producteur plus que de négociant. Elle vinifie ses propres raisins et aussi ceux que lui fournissent une trentaine de viticulteurs. Elle vend environ 900 000 bouteilles. Embouteillés « au domaine », les portos étiquetés São Pedro das Aguias, quintas do Paço et do Convento sont commercialisés principalement en France et en Europe.

Les vins. Production de qualité sous trois étiquettes principales : São Pedro, quinta do Paço, quinta do Convento. Portos blancs, rubies, tawnies de 10 , 20 ans, plus de 40 ans, colheitas, vintages.

À découvrir. Un élégant tawny 10 ans, des colheitas, et surtout un délectable tawny de plus de 40 ans.

QUINTA DO INFANTADO

Une quinta familiale créée en 1816. Aujourd'hui propriété de la famille Roseira, elle regroupe 50 hectares et commercialise environ 180 000 bouteilles par an. Entre 1979 et 1986, cas unique dans le Douro, les Roseira embouteillent leurs vins dans le vignoble même et les vendent au Portugal.

Les vins. Plutôt secs, soignés, élevés sur place, typiques d'un style *duriense* (fin, évolué, complexe) que l'on commence à découvrir depuis la fin du monopole de Gaia. Rubies, tawnies, tawnies 20 ans, colheitas, LBV, vintages.

À découvrir. Le tawny 20 ans, le LBV 92, le vintage 85.

RAMOS-PINTO

Toute nouvelle acquisition des Champagnes Roederer, Ramos-Pinto fut et demeure l'une des firmes les plus remuantes de Gaia. Dans le passé, Adriano Ramos-Pinto, fondateur de la maison en 1880, avait inventé la publicité moderne, sollicitant des artistes de la Belle Époque, tels Capiello, Metlicovitz, Vincent, pour réaliser des affiches exploitant le thème de la tentation. Cet ami des femmes et des arts avait puissamment implanté la firme au Brésil, inventant même un

remède contre la fièvre, l'Adriano, un porto enrichi de quinine, toujours confectionné de nos jours. La firme Ramos-Pinto joue un rôle déterminant dans l'ADVID (Association pour le dévelopement de la viticulture du Douro, voir p. 154), contribue à la rénovation du Douro et développe les plantations de vignes dans le sens de la pente, notamment dans la quinta da Ervamoira, dans le Douro Supérieur. Elle commercialise environ 1,2 million de bouteilles par an.

Les quintas. Quinta do Bom Retiro, quinta da Urtiga, quinta do Bon Arès, quinta da Ervamoira.

Les vins. Toute la gamme des portos, dans le style portugais, des blancs secs et demi-secs aux vintages, en passant par des tawnies particulièrement réussis. Et aussi de délicieux vins secs, blancs et rouges.

À découvrir. Les vintages Ramos-Pinto, les tawnies 10 ans d'Ervamoira, les tawnies 20 ans de Bom Retiro.

REAL COMPANHIA VELHA

(Real Vinicola)
La Real Vinicola ? La troisième firme exportatrice de porto, et sans doute la plus méconnue. Chaque année, elle commercialise environ 100 000 hectolitres, qui s'incarnent en d'innombrables marques ou étiquettes. La Real Vinicola élabore aussi des vins pour des importateurs français et pour les grandes surfaces. Fondée en 1756, par décret royal, sous les auspices du marquis de Pombal qui décide alors de confier à un monopole le commerce du porto, la Real Vinicola est l'une des plus anciennes firmes de porto. Manuel Silva Reis la rachète après la Seconde Guerre mondiale. Nationalisée en 1974 pendant la Révolution des Œillets, elle est restituée à son propriétaire quatre ans plus tard.

Les quintas : 1 500 hectares dans le Haut-Douro, sept quintas, notamment das Carvalhas, dos Aciprestes, do Casal da Granja, do Sidro.

Les vins. Quelques vintages dans une mer de tawnies.

À découvrir. Des tawnies et des vintages convenables, vendus sous la marque Royal Oporto.

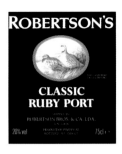

ROBERTSON BROTHERS

Depuis 1953 propriété de Sandeman, elle-même filiale de Seagram, cette petite maison fondée en 1847 diffuse à la fois ses propres portos et ceux de Rebello Valente, firme acquise en 1881. Robertson Brothers est célèbre pour ses vieux tawnies avec indication d'âge et ses vintages puissants.

ROMARIZ

Une maison portugaise fondée en 1850 par Manuel Rocha Romariz, contrôlée aujourd'hui par des capitaux anglais. Romariz commercialise environ 2 millions de bouteilles par an.
Les vins. Plutôt orientée vers les tawnies, la firme élabore aussi de délicieux colheitas et vintages. Portos blancs, rubies, tawnies, tawnies avec mention d'âge, colheitas, LBV, vintages.
À découvrir. Le tawny 10 ans, le colheita 1963, le vintage 1994.

ROZÈS

Une marque créée en 1855 par le négociant en vins Ostende Rozès pour commercialiser en France des portos importés en vrac. Aujourd'hui filiale de Moët et Chandon, Rozès se fournit auprès de 300 viticulteurs et vend environ 1,8 million de bouteilles par an.
Les quintas. Une seule propriété dans le Douro, la quinta de Monsul. Surtout consacrée au stockage et à l'élevage des vins, elle produit une récolte minuscule : 250 hectolitres.
Les vins. Une production de bonne qualité, plutôt orientée vers le tawny. Portos blancs doux, tawnies, tawnies 10, 20 et 30 ans, plus de 40 ans, LBV, vintages.
À découvrir. Les tawnies 20 ans et plus de 40 ans.

SANDEMAN

Qui ne connaît le logotype de Sandeman ? Une silhouette noire coiffée d'un chapeau andalou, enveloppée dans la cape noire des étudiants portugais d'antan. Un emblème doublement évocateur qui exprime la dualité d'une société établie à la fois à Porto et à Jerez. Fondée en 1790

par un jeune Écossais, George Sandeman, la firme du même nom est devenue une filiale de Seagram. Sandeman contrôle Robertson Brothers. Elle occupe la cinquième place dans le palmarès des exportateurs, avec environ 9,6 millions de bouteilles expédiées chaque année.
Les quintas. Implantée dans le Douro depuis 1974, la maison Sandeman possède la quinta do Vau, 74 hectares magnifiquement situés, d'où elle tire de délectables single quinta vintages.
Les vins. Une production de bonne qualité, qui offre toute la gamme des portos, entre autres d'excellents vieux tawnies et des vintages élégants et veloutés. Portos blancs, rubies, tawnies, tawnies 10 et 20 ans, LBV, single quinta vintages, vintages.
À découvrir. Le tawny 20 ans, le superbe vintage 1975.

ADEGA COOPERATIVA DE SANTA MARTA DE PENAGUIÃO

Union de trois coopératives (Santa Marta, Medrões, Cumieira), cette cave vinifie la production de 2 000 adhérents et produit environ 130 000 hectolitres par an, dont 40 000 de porto, essentiellement des rubies et des tawnies, ainsi que des vins de table.

CLEMENTE DA SILVA

Fondée au milieu du XIXᵉ siècle, cette maison familiale se fournit auprès de 700 viticulteurs. Elle produit tous les types de porto, vendus notamment sous les marques Dalva et Presidential. Da Silva commercialise environ 3,6 millions de bouteilles chaque année.

SMITH ET WOODHOUSE

Propriété de la famille Symington, la firme Smith et Woodhouse a été créée en deux temps. En 1784, par Christopher Smith. Puis, en 1828, lorsque les frères Woodhouse s'associent à Smith. Aujourd'hui, Smith et Woodhouse achète la récolte de 800 viticulteurs et vend environ 300 000 bouteilles par an à travers le monde.
Les quintas. Un seul vignoble : la quinta Madalena, qui produit 38 500 bouteilles.

Les vins. Une production de qualité. Les vintages sont élaborés en lagares. Portos blancs, rubies, vintage character, tawnies, tawnies 10, 20 et 30 ans, plus de 40 ans, colheitas, LBV, single quinta vintages, vintages.

À découvrir. Les vintages, notamment le 95

TAYLOR

Fondée en 1692 par des Anglais, Taylor demeure une entreprise familiale. Elle contrôle Fonseca Guimaraens et appartient aujourd'hui aux Robertson. Taylor figure parmi les grands noms du porto. Ses vintages s'arrachent dans les ventes aux enchères de Londres et de New York. Pionnière en son genre, Taylor est l'une des premières maisons britanniques à investir dans le Douro : elle acquiert la quinta de Vargellas en 1893. On la crédite aussi de l'invention du LBV. Sa renommée, spécialement dans le monde anglo-saxon, tient à un respect méticuleux des méthodes traditionnelles de culture, de vinification et d'élevage. Ainsi les grands portos sont-ils vinifiés en lagares. Taylor commercialise environ 1,2 million de bouteilles par an. Elle vend partiellement ses vintages en primeur.

Les quintas. Trois splendides vignobles : la quinta de Terra Feita, la quinta de Vargellas et la quinta de S. António. Lorsque Taylor ne déclare pas de millésime, elles donnent des single quinta vintages.

Les vins. Taylor élabore aujourd'hui environ 60 % de catégories spéciales (LBV, vintages) contre 7 à 10 % chez ses concurrents. Des vins grandioses, complexes, typés. Expressifs, caractéristiques du goût anglais, les vintages sont rigoureux, denses, fortement charpentés, longs à s'ouvrir, mais de très bonne garde. Ils constituent l'un des sommets du porto. Tawnies 10, 20 et 30 ans, plus de 40 ans, LBV, vintages.

À découvrir. Le tawny 30 ans, le LBV 91, le single quinta vintage Quinta Terra Feita 86, le single quinta vintage Quinta de Vargellas 86, le vintage Taylor's 85.

WARRE

Fondée en 1670, achetée vers 1905 par la famille Symington, Warre figure parmi les firmes les plus anciennes de Porto. Elle vinifie la récolte de 1 500

vignerons, élabore 10 % de sa production en lagares, et vend chaque année environ deux millions de bouteilles, surtout en Europe et notamment en France.

Les quintas. À côté de Pinhão, la quinta da Cavadinha compte 40 hectares et produit 160 000 bouteilles.

Les vins. Élégants, complexes. Massifs et puissants, les vintages illustrent à merveille le goût anglais. Portos blancs, rubies, tawnies, tawnies 10, 30 et plus de 40 ans, colheitas, LBV, vintages, single quinta vintages.

À découvrir. Les vintages single Quinta Cavadinha 96 et 95.

WIESE AND KROHN

Une firme établie en 1865 par deux Norvégiens, Dankert Krohn et Theodor Wiese. Reprise en 1922 par la famille portugaise Carneiro, elle demeure une entreprise familiale qui exporte 90 % de sa production, surtout en Europe, et notamment en France.

Les quintas. Une seule propriété, qui vinifie ses raisins en lagares, la quinta do Retiro Novo.

Les vins. Souples, délicats. Tawnies, colheitas, vintages.

À découvrir. Le colheita 85, fin et épicé et l'ample vintage 85.

LES PRINCIPALES MARQUES VENDUES EN FRANCE

Sandeman (Seagram France distribution) ; Taylor's (Laurent-Perrier) ; Burmester (Auxil) ; Noval (CSA) ; Manuel Poças (Jarrousse) ; Niepoort (Niepoort et Champagnes Bonnet) ; São Pedro das Aguias (Vranken) ; Rozès (Moët-Hennessy) ; Offley (Saint Raphaël-Grants) ; Croft (Sovedi) ; Ferreira (Marie-Brizard) ; Fonseca (Bollinger-Langlois-Château France) ; Cálem (Philippe de Rothschild) ; Ramos-Pinto (Roederer) ; Churchill's (Europvin) ; Dow's (Slaur) ; Barros et Almeida (Charles Lafitte) ; Graham's (Remy-France) ; Cintra (Cusenier) ; Porto Cruz (La Martiniquaise) ; Pitters (William Pitters) ; Osborne (Taittinger).

Les vintages mis en bouteille au Portugal depuis 1955

Exportateurs	1955	1957	1958	1960	1961	1962	1963	1964	1965	1966	1967	1968	1969	1970	1972
A. A. CALÉM & FILHO	■		■	■			■							■	
A. A. FERREIRA														■	
A. P. SANTOS & Cª														■	
ADRIANO RAMOS PINTO (VINHOS)				■			■							■	
ALFREDO E. CALÉM HOLZER															
BARROS, ALMEIDA & Cª. VINHOS	■	■	■	■			■			■				■	
BUTLER, NEPHEW & Cª	■		■	■			■			■		■		■	
C. DA SILVA (VINHOS)															
C. N. KOPKE & Cª	■		■	■			■			■				■	
CHURCHILL GRAHAM															
COCKBURN SMITHES & Cª	■					■					■			■	
COMPª. AGRª. COM. VINHOS DO PORTO	■						■				■				
COMPª GERAL AGR. V. ALTO DOURO	■				■		■								
CROFT & Cª	■			■			■			■				■	
DELAFORCE SONS & Cª. - VINHOS	■			■	■		■			■				■	
DIEZ HERMANOS				■			■			■				■	
FEUERHEERD & BROS & Cª.		■	■	■			■			■					
FONSECA GUIMARÃES VINHOS			■		■		■		■		■			■	■
FORRESTER & Cª.	■						■			■				■	
GILBERTS & Cª.															
GRAN CRUZ PORTO - SOC. C. VINHOS						■									
H. & C. J. FEIST - VINHOS		■	■				■			■				■	
HUNT, CONSTANTINO - VINHOS		■		■			■			■				■	
HUTCHESON & Cª.		■					■			■				■	
J. A. SERODIO & FILHOS															
J. H. ANDRESEN, SUCRS							■			■					
J. W. BURMESTER & Cª			■				■			■				■	
JAIME ACÁCIO QUEIROZ CARDOSO															
MACKENZIE & Cª	■		■				■			■					
MANOEL D. POÇAS JUNIOR - VINHOS							■			■				■	
MARTINEZ GASSIOT & Cª.	■										■				
MONTEZ CHAMPALIMAUD															
MORGAN BROTHERS							■			■				■	
MURÇAS															
NIEPOORT (VINHOS)	■						■			■					
OSBORNE - VINHOS DE PORTUGAL							■			■					
PINTO FERREIRA															
QUARLES HARRIS & Cª						■				■				■	
QUINTA DA ROSA - V. DO PORTO															
QUINTA DO INFANTADO V. PROD.															
QUINTA DO CASTELINHO (VINHOS)															
QUINTA DO CONVENTO S. P. AGUIAS															
QUINTA DO NOVAL				■				■		■				■	
QUINTA DO SAGRADO															
REAL Cª. VINICOLA NORTE DE PORTUGAL	■						■			■					
RICHARD HOOPER & SONS (PORTUGAL)															
ROBERTSON BROS & Cª.	■			■		■								■	
RODRIGUES PINHO & Cª.															
ROMARIZ - VINHOS															
ROZÈS							■				■				
SANDEMAN & Cª.	■		■				■	■		■	■			■	
SILVA & COSENS			■				■			■				■	
SKEFFINGTON, VINHOS															
SMITH WOODHOUSE & Cª.				■			■			■				■	
SOC. AGRª. COM. VINHOS MESSIAS							■								
SOC. AGRª. DA ROMANEIRA															
SOC. AGRª. EDMUNDO ALVES FERREIRA															
SOC. AGRª. QUINTA DO CRASTO															
SOC. AGRª. QUINTA DO VESÚVIO															
SOC. VINHOS BORGES & IRMÃO	■		■	■			■			■				■	
TAYLOR, FLADGATE & YEATMAN, VINHOS	■	■	■	■			■			■				■	
THE DOURO WINE S. & G. ASSOC.															
VAN ZELLERS & CO. VINHOS															
VASCONCELLOS (OPORTO) & Cª.	■		■				■			■				■	
VIEIRA DE SOUSA & Cª. VINHOS								■							
W. & J. GRAHAM & Cª.	■			■			■			■				■	
WARRE & Cª.							■			■				■	
WIESE & KROHN, SUCRS.		■										■			
Nombre de déclarations	23	11	21	41	4	6	44	10	10	29	16	3	1	41	6

1976	1977	1978	1979	1980	1981	1982	1983	1984	1985	1986	1987	1988	1989	1990	1991	1992	1993	1994
3	33	27	13	31	1	39	36	15	46	5	30	5	19	10	41	21	1	37

Document publié avec l'aimable autorisation de l'Institut du vin de Porto (Instituto do Vinho do Porto).

Repères chronologiques

VIIe s. av. J.-C. Les Grecs transmettent l'art de la viticulture aux populations de la péninsule Ibérique.

IIe. s. av. J.-C. Conquête romaine. Défaite de Viriathe, «le Vercingétorix lusitanien».

411. Invasions barbares. Les Vandales, les Suèves, puis les Wisigoths (VIe s.) envahissent la péninsule Ibérique.

711. Conquête de la péninsule Ibérique par les Musulmans.

868. Début de la reconquête, avec la prise de Porto et de Braga. À la fin du siècle, naissance d'un «condado Portucalensis» au nord du Portugal (villes principales : Portus et Cale, sur l'estuaire du Douro).

XIe s. D. Afonso VI, roi de Léon-Castille, donne sa fille en mariage à Henri de Bourgogne, avec, en dot, le comté de Portucalense.

XIe-XIIe s. Expansion du vignoble du Douro : les chartes des villages exigent des habitants un tribut payé en vin.

XIIe s. Début de l'expansion économique en Europe. Développement des contacts commerciaux entre le Portugal et l'Europe du Nord.

1108- Règne de D. Afonso Henriques, fils de
1185. Henri de Bourgogne, fondateur de la dynastie dite bourguignonne. Il prend le titre de roi du Portugal, se dégage des liens de vassalité avec la Castille.

1250. Avec la reconquête de l'Algarve, le Portugal a pratiquement acquis ses frontières définitives. Le portugais devient langue officielle à la fin du siècle.

XIIIe s. Charte de D. Afonso III, roi du Portugal, qui accorde à Vila Nova de Gaia la perception d'un droit de passage : toute embarcation chargée de vin devra acquitter un péage.

1383- La Couronne étant en passe d'échoir à
1385. l'épouse du roi de Castille, un soulèvement éclate à Lisbonne. La crise se dénoue avec la défaite de la Castille et l'élection de D.João Ier par les Cortes (1385). Sous la dynastie d'Aviz (1385-1580), le Portugal devient une grande puissance maritime et commerciale.

1386. Alliance avec l'Angleterre (traité de Windsor).

XVe s. Développement des exportations du vin de Lamego, ancêtre du porto, vers Bruges, Honfleur et Rouen.

1492. Le Portugal accueille les juifs chassés d'Espagne par les Rois Catholiques, mais les force à se convertir quatre ans plus tard.

1497- Expédition de Vasco de Gama sous le règne
1498. de D. Manuel Ier le Grand (1495-1521). La découverte de la route de l'Inde par le cap de Bonne-Espérance, suivie de la fondation de comptoirs, permet au Portugal de contrôler le commerce dans l'Océan Indien jusqu'à la fin du XVIe siècle.

1500. Découverte du Brésil par Pedro Álvarez Cabral.

1511. Conquête de Malaka.

1536. Institution du tribunal de l'Inquisition.

1557. Occupation de Macao

1578. Disparition de D. Sebastião 1er lors de la défaite d'Alcácer Quibir. Le Portugal doit renoncer à conquérir le Maroc.

1580. Philippe II, en devenant roi du Portugal, réalise l'union des couronnes du Portugal et de la Castille qui se maintiendra pendant soixante ans. Pendant cette période, le Portugal perd de nombreuses positions territoriales et commerciales en Asie, au profit de l'Angleterre et des Pays-Bas.

1640. Le Portugal proclame son indépendance. Avènement de la dynastie des Bragance avec D. João IV.

1667. Colbert surtaxe les produits anglais importés en France. En représailles, Charles II, roi d'Angleterre, impose la consommation des vins du Portugal à ses sujets. Les négociants de Bristol, Londres et Plymouth explorent le Douro à la recherche de nouveaux fournisseurs. Fondation des premières maisons de négoce anglaises à la fin du siècle.

1668. Traité de Lisbonne : l'Espagne reconnaît l'indépendance du Portugal.

1678. Deux négociants de Liverpool font le voyage du Douro. Ils goûtent un vin rouge de Pinhão. Séduits, ils achètent tout le vin disponible dans la région, l'enrichissent

d'eau-de-vie, puis l'expédient en Angleterre. La douane portugaise enregistre la première exportation officielle du vin du Douro sous le nom de «vin de Porto» : 408 pipes soit environ 2 244 hl.

1699. Découverte d'or au Brésil.

1703. Traité de Methuen entre le Portugal et l'Angleterre. Le Portugal bénéficie de tarifs douaniers avantageux pour ses vins importés en Angleterre, mais doit ouvrir son marché aux produits anglais (céréales, drap...).

1750- Première crise du porto, marquée par un
1756. effondrement des prix.

1750- Ministère de Sebastião de Carvalho, marquis
1777. de Pombal : reconstruction de Lisbonne après le tremblement de terre (1755), mise au pas de la haute noblesse, expulsion des Jésuites (1759), prémices d'un enseignement d'État, laïcisation de l'Inquisition, interdiction des autodafés publics.

1756. Création par le marquis de Pombal de la Compagnie générale d'agriculture des vignobles du Haut-Douro (aussi nommée Compagnie viticole du Haut-Douro ou «Compagnie») afin de résoudre la crise du porto et de diminuer la puissance du négoce anglais. Le commerce du porto, la détermination du prix du raisin, deviennent un monopole d'État. Cinq ans plus tard, la Compagnie bénéficiera du monopole de la vente de l'eau-de-vie nécessaire au mutage du porto.

1757. Pombal entreprend la délimitation de la zone de production du porto dans le Douro. De hautes bornes de granite (*marcos de feitoria* ou *pombalines*) tracent les limites des meilleurs crus. La première appellation contrôlée du monde vient de naître, environ deux siècles avant la création des AOC françaises (1935).

1780. Ouverture des travaux du Cachão da Valeira (gorge de Valeira) sur le Douro. Le gigantesque effondrement rocheux qui obstruait le fleuve limitait la circulation et pénalisait les quintas situées en amont. À la fin des travaux, en 1791, le Douro est navigable dans sa totalité.

1790. La production du porto s'envole, sa qualité diminue.

1793. Début de la guerre entre l'Angleterre et la France.

1801. Le laxisme ravage le Douro. Le vignoble exploité est deux fois plus vaste qu'en 1757 .

1807. Sommée par Napoléon d'appliquer le blocus continental, la famille royale portugaise s'installe au Brésil pour sauvegarder son empire.

1807- 1810. Invasions napoléoniennes.

1811. Départ des troupes napoléoniennes. Difficultés économiques en Angleterre. L'exportation du porto s'effondre, régressant de 40 000 pipes à 28 000 pipes.

1820. Maîtrise progressive du mutage, technique qui consiste à interrompre la fermentation alcoolique d'un moût de raisin en y ajoutant de l'eau-de-vie.

1822. Indépendance du Brésil. Au Portugal, une révolution libérale éclate à Porto ; elle débouche sur un régime de monarchie constitutionnelle.

1824- Conflits entre les partisans de l'absolutisme,
1834. autour de D. Miguel, et les libéraux, autour de D. Pedro. Les premiers s'appuient sur l'Eglise et les paysans; les seconds, anticléricaux, sont soutenus par la bourgeoisie urbaine et reçoivent l'appui de la France (Monarchie de Juillet) et de l'Angleterre. Les libéraux l'emportent mais l'instabilité politique demeure.

1830- Implantation de firmes anglaises à Porto
1870. et à Gaia.

1834. Abolition de la Compagnie générale d'agriculture des vignobles du Haut-Douro sous la pression du négoce. Essor du commerce, hausse des prix, extension du vignoble. Conséquences : baisse de la qualité, baisse des prix.

1836. Formation de l'empire africain portugais (Angola et Mozambique).

1838. Réhabilitation de la Compagnie.

1851. Apparition de l'oïdium, maladie de la vigne jusqu'alors inconnue dans le Douro.

1865. Suppression définitive de la Compagnie, libéralisation totale du commerce du porto.

1868. Apparition du phylloxéra dans le Douro. Destruction totale du vignoble en quelques années.

1884. Premières plantations de cépages greffés dans le Douro. Comme dans toute l'Europe, on greffe des variétés indigènes sur des plants de vigne américaine, résistante au phylloxéra, qui servent de porte-greffes.

1890. Ultimatum de l'Angleterre, interdisant au Portugal d'opérer la jonction Angola-Mozambique en Afrique.

1893. Apparition du mildiou, maladie de la vigne jusqu'alors inconnue dans le Douro.

1900. Le Portugal tente de protéger le nom «porto».

1907- João Franco, premier ministre de
1908. D. Carlos 1er, crée une Commission de culture du Douro chargée de préciser la délimitation du vignoble du Douro. Il promeut une politique de qualité et protège la dénomination Porto.

1908. Assassinat du roi D. Carlos 1er.

1910. Proclamation de la République, qui sera marquée par l'instabilité politique.

1916- Le Portugal entre en guerre du côté des
1917. Alliés. Il restera neutre durant la Seconde Guerre mondiale.

1921. Délimitation affinée de la région de production du Douro par la Commission de viticulture. Obligation d'élever les vins trois ans avant de les commercialiser.

1926. Coup d'État du général Gomes da Costa.

1926. Création de l'«entrepôt» de Vila Nova de Gaia, qui regroupe l'ensemble des chais du négoce. L'entrepôt est désormais le lieu exclusif d'élevage, de commercialisation et d'exportation du porto.

1932. Création de la Casa do Douro, (Maison du Douro) association des viticulteurs de la région. Elle contrôle la production, et défend les intérêts des vignerons, notamment face au négoce.

1932. Nommé président du Conseil, António de Oliveira Salazar fait approuver par plébiscite une nouvelle constitution l'année suivante. Il applique sa doctrine de l'«Estado Novo», instaurant un régime autoritaire et corporatiste qui durera quarante-deux ans.

1933. Création du Syndicat des exportateurs de vin de Porto, organisme corporatif du négoce (en 1995, cet organisme transforme son nom en celui de Syndicat des

entreprises des vins de Porto). Création de l'Institut du vin de Porto.

1937. Classement des parcelles du Douro, qui s'achèvera en 1945. Des équipes d'ampélographes, de compteurs et de techniciens, répartissent les 84 000 parcelles du vignoble en six classes qualitatives en fonction de leur climat, de leur sol et de leur encépagement.

1941. Les portos embouteillés au Portugal portent désormais le sceau de papier blanc de l'IVP. Une garantie d'origine et de qualité par rapport au vins exportés en vrac.

1970. Mort de Salazar.

1974. Révolution des Œillets : un «Mouvement des forces armées» renverse Marcello Caetano, le successeur de Salazar.

1975. Décolonisation en Afrique. Période de transition démocratique. Le MFA engage la collectivisation de l'économie. Cette politique est désavouée par les urnes lors de l'élection de l'Assemblée constituante.

1976. Nouvelle constitution démocratique. Antonio Ramalho Eanes devient président de la République, Mário Soares chef du gouvernement.

1986. Adhésion du Portugal à la CEE. La Casa do Douro perd le monopole de la vente des eaux-de-vie. Les alcools destinés au mutage doivent cependant subir le contrôle de l'Institut du vin de Porto avant usage. Fin du monopole d'exportation de l'entrepôt de Gaia.

1996. Interdiction des exportations en vrac. Les portos seront désormais exportés en bouteille afin de contrôler leur authenticité. Contraire à la réglementation européenne, cette mesure est présentée comme provisoire, le temps de remettre en ordre les circuits de distribution suspects à l'étranger. Création du CIRDD (Comité interprofessionnel de la région délimitée du Douro). Cet organisme représente le négoce et la viticulture. Il rassemble des représentants de l'IVP, de la Casa do Douro et des exportateurs (négociants).

1998. Dernière Exposition internationale du XXe siècle à Lisbonne.

L'Esprit du porto

Les institutions du porto

AEVP (Association des entreprises de vin de Porto). Fondée en 1933, sous le nom de «Syndicat des exportateurs de Porto», cette très puissante association de négociants, installée à Vila Nova de Gaia, rassemble 37 maisons ou quintas. Elle emploie sept salariés. Homologue de la Casa do Douro, l'AEVP défend les intérêts de ses membres, impose une discipline commerciale. Chaque année, dans le cadre du Comité interprofessionnel de la région délimitée du Douro (CIRDD), l'AEVP négocie un prix recommandé du raisin avec la viticulture et l'IVP. Elle participe à la promotion du porto, au Portugal et à l'étranger.

ADVID (Association pour le développement de la viticulture du Douro). Rien d'officiel ni d'institutionnel dans cette association née en 1982 de la volonté de José Rosas, P.-D. G. de Ramos-Pinto. Déplorant l'inertie des organismes professionnels, une dizaine de négociants anglais et portugais se regroupent. Ils financent avec leurs propres fonds une longue série d'études sur le Douro, ses cépages, ses sols, la mécanisation des vignobles, etc. À l'horizon : l'amélioration de la qualité du porto, la diminution des coûts de production. L'ADVID, association privée, accomplit le travail qui incombe, en France, à l'INAO, organisme public, et aux divers comités interprofessionnels.

Casa do Douro (Maison du Douro). Fondée en 1932, la Casa do Douro rassemble les 34 000 viticulteurs et les 23 coopératives du Douro. Elle compte 11 délégations dans le Douro et 180 salariés. Son siège est établi à Peso da Régua. L'inscription des vignerons du Douro à la Casa do Douro est obligatoire. Les élections, peu suivies (30 % de participation au dernier scrutin), ont lieu tous les quatre ans. Elles permettent d'élire le président et le conseil régional. Ce dernier regroupe 60 membres, dont 37 représentent le vignoble, et 23, les coopératives.
Membre du CIRDD, la Casa do Douro a vocation à défendre la viticulture, notamment face au négoce. Elle veille aussi à l'équilibre entre l'offre et la demande. Les années de forte production, elle acquiert des vins pour maintenir les cours. Son stock de vins, accumulé au fil des ans depuis 1934, atteint aujourd'hui 40 000 pipes (220 000 hectolitres) soit environ le tiers de la production annuelle du Douro.
Jusqu'à l'adhésion du Portugal à la CEE (1986) la Casa do Douro détenait le monopole de l'achat et de la revente de l'eau-de-vie de mutage. Elle a ainsi thésaurisé des sommes colossales, investies pour une part dans des prises de participation que certains observateurs locaux jugent étonnantes, tel l'achat d'environ 40 % du capital de Real Companhia Velha.
Avant la création du CIRDD (1996), seule la Casa do Douro gérait le cadastre du Douro, propriété des viticulteurs. Cette tâche incombe désormais à l'interprofession. Elle ne pourra cependant s'accomplir qu'autant que la Casa do Douro remettra le cadastre au CIRDD. Or, si l'association des viticulteurs permet à ce dernier de consulter le relevé des parcelles du Douro, elle se refuse pour le moment à le lui communiquer.
Même refus opposé à l'IVV (Institut de la vigne et du vin), organisme de tutelle du vignoble portugais, qui, contre un milliard d'escudos (environ 33 millions de francs) a fait réaliser le « casier viticole » du Douro, c'est-à-dire la délimitation topographique du vignoble. À la demande de l'Union européenne, tous les vignobles européens doivent être ainsi délimités et répertoriés. Ce recensement exhaustif a pour objectif la gestion des excédents viticoles. Mais le casier viticole consiste en une délimitation globale, établie avec des photos aériennes. Un document incapable, donc, de recenser chacune des parcelles et des propriétés qui composent un vignoble. Or, le relevé parcellaire du Douro, cadastre qualitatif, est nécessaire à qui souhaite connaître le classement des terres, leur hiérarchie, leurs caractéristiques. Un croisement du cadastre et du casier viticole s'impose donc. Pour le moment, la Casa do Douro le refuse, invoquant la propriété du cadastre du Douro par les viticulteurs, et des impossibilités juridiques à ce transfert, d'ailleurs soulevées par elle.

CIRDD (Comité interprofessionnel de la région délimitée du Douro). De création récente (1996), cet organisme paritaire

154

représente le négoce, l'administration et la viticulture. Il rassemble des représentants de l'Institut du vin de Porto, de la Casa do Douro et de l'Association des entreprises de vin de Porto. Le CIRDD contrôle l'organisation du vignoble du Douro, la production et la commercialisation du porto et des VQPRD Douro. Son conseil comprend treize personnes : le président, nommé par l'État, six représentants du négoce et six représentants de la viticulture.

IVP (Institut du vin de Porto). Cet organisme établi à Porto dépend de l'État portugais. Pièce capitale du mécanisme du vin régional, l'IVP vit de ses fonds propres. Son budget annuel représente un milliard d'escudos (environ 33 millions de francs), qu'alimente une taxe de 4,5 escudos par litre, payée par le négoce, la viticulture et les coopératives, qui rémunèrent également l'IVP pour la fourniture du sceau de garantie (3,5 escudos) apposé sur chaque flacon de porto embouteillé dans le Douro ou à Gaia, et pour la certification des eaux-de-vie de mutage (5 escudos/litre à 77 % vol.).

L'IVP regroupe 155 œnologues, agronomes, statisticiens, juristes, techniciens de la vigne et de la viticulture, administratifs, tous fonctionnaires. Membre du CIRDD, l'IVP détermine chaque année les dates des vendanges et le *beneficio*, en accord avec la Casa do Douro et le négoce. Il contrôle l'origine et la qualité du porto et des VQPRD Douro, dont il suit les stocks dans les chais de Gaia et du Douro. Il s'assure aussi de la conformité et de la qualité des eaux-de-vie de mutage. Cette procédure implique parfois le recours à la RMN (résonance magnétique nucléaire), un examen coûteux (90 000 escudos, soit environ 3 000 F par échantillon) à la charge de l'utilisateur final de l'alcool. L'IVP réalise des études économiques et techniques. Il assure la fiscalisation des vins.

La Chambre des dégustateurs de l'IVP goûte l'intégralité des portos présentés par les maisons, vins de l'année et vins en cours d'élevage. Ce nécessaire contrôle de la qualité et de la typicité ouvre, ou ferme, la porte à la commercialisation des vins. Les sept œnologues, ingénieurs et techniciens qui composent la Chambre ont suivi une formation

spécialisée. Un enseignement d'ailleurs constamment réactualisé, étendu depuis peu à l'examen des vins de cépages, afin de répondre à la demande du vignoble. Ce jury professionnel de haut niveau travaille à l'aveugle, le matin seulement, de 9 h 30 à 12 h 30. Il teste tout au plus 20 échantillons au cours de la séance. Soit, environ 2500 portos dans l'année.

Sélectionnés la veille, à l'insu des dégustateurs, les vins sont appréciés dans une salle climatisée équipée de cabines individuelles. Chacune comporte un évier, un ordinateur à écran tactile, un guichet par où l'assistant glisse les verres, numérotés, qui contiennent les crus à évaluer. Sur l'écran tactile de la machine, les goûteurs choisissent, parmi un vocabulaire normalisé d'une centaine de mots, ceux qui leur permettent de décrire les échantillons : couleurs, arômes, saveurs, structure, etc. Tous les vins sont ainsi agréés ou rejetés, à la majorité simple des dégustateurs.

La procédure d'agrément des portos est sans doute unique au monde, et, en tout cas, l'une des plus fiables, pour trois raisons : d'une part, à Porto, la dégustation, qui se déroule hors du vignoble, est le fait d'un jury spécialisé, indépendant de la viticulture et du négoce ; d'autre part, les dégustateurs suivent un protocole rigoureux, qui laisse peu de place aux pressions et aux manipulations, amicales, syndicales ou corporatistes ; enfin, la Chambre évalue les vins à plusieurs reprises : au terme de leur élaboration, et en cours d'élevage, avant la commercialisation.

IVV (Institut de la vigne et du vin). Organisme de tutelle de l'ensemble des vignobles portugais, établi à Lisbonne. L'IVV gère et contrôle la production et la qualité des vins de table, vins régionaux et VQPRD du Portugal. Il les promeut. Des délégations régionales assurent le suivi de chaque vignoble. À Porto, situation particulière, cette délégation s'intéresse aux seuls vins régionaux et aux vins de table, tandis que l'IVP se consacre au porto et aux VQPRD Douro. En outre, l'IVV contrôle les importations de vins et de spiritueux. Un cachet de garantie en papier blanc figure sur le goulot des bouteilles importées.

UNIDOURO (União das Adegas Cooperativas da Região demarcada do Douro). Association de 23 coopératives réparties dans le Bas-Douro (10) le Haut-Douro (10) et le Douro Supérieur (3). Environ 10 000 adhérents, représentant 20 000 hectares, produisent 40 % du porto, et 60 % des vins secs. Les caves : Alijó, Armamar, Favaios, Freixo de Espada à Cinta, Freixo de Numão, Lamego, Meda, Mesão Frio, Moncorvo, Murça, Pegarinhos, Penajóia, Peso da Régua, Sabrosa, Sanfins do Douro, Santa Marta de Penaguião, São João da Pesqueira, Trevões, Vale da Teja, Vila Flor, Vila Nova de Foz Côa, Vila Real, Tabuaço.

UTAD (Université de Tras-os-Montes et du Haut-Douro). Créée en 1979 à Vila Real, dans le Douro, l'UTAD a d'abord dispensé des enseignements de science forestière, d'élevage animal et d'agriculture. Une section « œnologie » voit le jour en 1984, ce qui permet enfin de former des œnologues au Portugal. Le diplôme de l'UTAD, équivalent à ceux des autres pays européens, est obtenu à l'issue de quatre ans d'études et d'un stage en entreprise.

Curieusement, treize ans après sa création, cette section n'a délivré en tout et pour tout que vingt-quatre diplômes. Pourtant trente étudiants s'inscrivent chaque année. Cette érosion tiendrait au mémoire de stage de fin d'études exigé au terme du second semestre de la dernière année d'études. Or, à cette époque, les futurs œnologues effectuent un stage dans des maisons ou des quintas, qui les embauchent généralement ensuite. Forts d'un emploi, la plupart des stagiaires négligent de rédiger le document final, qui conditionne la remise du diplôme. Pour remédier à cette désertion rédactionnelle, l'UTAD exige désormais que le mémoire soit rédigé pendant le premier semestre.

Index

Pour des informations plus détaillées, on se reportera aux pages indiquées en gras.

*Les auteurs tiennent à remercier pour les documents
et informations qu'ils ont bien voulu leur fournir :*

l'Institut du vin de Porto
l'Association des entreprises de vin de Porto
la Casa do Douro

ainsi que

João Nicolau de Almeida
Fernando Bianchi de Aguiar
Isabelle Bodin
António José Borges Mesquitas Montes
Isabelle Burmester et Fernando Formigal
Nicolas Heath
Manuel Maria de Magalhaes Ferreira
Alain Mahmoudi
Lijia Marques
Helena Moura
Dirk van der Niepoort
Francisco Javier de Olazabal
Catarina et João Roseira
Manuel de Sampayo-Pimentel
António Saraiva
Christian Seely
Paul Symington
Jacqueline B. Thurn-Valsassina Dias
Miguel Viana
Fernando Xavier
Alvaro Luís van Zeller
Christiano van Zeller
et toutes les maisons de Porto
et les quintas du Douro qui les ont informés.

Imprimé en Italie par Rotolito Lombarda S.p.A.

23-51-6308-3/02

Dépôt légal : 6774-11-2000

ISBN : 2012363083